L'humanité en péril

Virons de bord, toute !

DU MÊME AUTEUR

Les Jeux de l'amour et de la mort, Éditions du Masque, 1986.
Ceux qui vont mourir te saluent, Viviane Hamy, 1994 (écrit en 1987) ; J'ai lu, 2008.
Debout les morts, Viviane Hamy, 1995, prix Mystère de la critique 1996, Prix du polar de la ville du Mans 1995, International Golden Dagger 2006 (Angleterre) ; J'ai lu, 2005.
L'Homme aux cercles bleus, Viviane Hamy, 1996 (écrit en 1990), Prix du Festival de Saint-Nazaire 1992, International Golden Dagger 2009 (Angleterre) ; J'ai lu, 2008.
Un peu plus loin sur la droite, Viviane Hamy, 1996 ; J'ai lu, 2006.
Sans feu ni lieu, Viviane Hamy, 1997 ; J'ai lu, 2008.
L'Homme à l'envers, Viviane Hamy, 1999, Grand Prix du roman noir de Cognac 2000, prix Mystère de la critique 2000 ; J'ai lu, 2008.
Les Quatre Fleuves (illustrations Edmond Baudoin), Viviane Hamy, 2000, prix Alph'Art du meilleur scénario, Angoulême 2001.
Pars vite et reviens tard, Viviane Hamy, 2001, Prix des libraires 2002, Prix des lectrices ELLE 2002, Prix du meilleur polar francophone 2002, Deutscher Krimipreis 2004 (Allemagne) ; J'ai lu, 2005.
Coule la Seine (illustrations Edmond Baudoin), Viviane Hamy, 2002 ; J'ai lu, 2008.
Sous les vents de Neptune, Viviane Hamy, 2004, International Golden Dagger 2007 (Angleterre) ; J'ai lu, 2008.
Petit Traité de toutes vérités sur l'existence, Viviane Hamy, 2001 ; Librio, 2013.
Critique de l'anxiété pure, Viviane Hamy, 2003 ; Librio, 2013.
Dans les bois éternels, Viviane Hamy, 2006 ; J'ai lu, 2009.
Un lieu incertain, Viviane Hamy, 2008 ; Flammarion, 2018 ; J'ai lu, 2010.
L'Armée furieuse, Viviane Hamy, 2011 ; Flammarion, 2018 ; J'ai lu, 2013, International Golden Dagger 2013 (Angleterre).
Le Marchand d'éponges (illustrations Edmond Baudoin), Librio, 2013.
Salut et liberté, Librio, 2013.
Temps glaciaires, Flammarion, 2015 ; J'ai lu, 2016.
Quand sort la recluse, Flammarion, 2017 ; J'ai lu, 2018.

Europäischer Krimipreis de la ville d'Unna pour l'ensemble de son œuvre, 2012 (Allemagne).
Prix Princesse des Asturies pour l'ensemble de son œuvre, 2018 (Espagne).

Fred Vargas

L'humanité en péril

Virons de bord, toute !

Flammarion

ISBN : 978-2-0814-9086-4

Mais bon sang, dans quel bourbier ai-je été me fourrer ? Comment vais-je me sortir de cette tâche insensée ? De cette idée de m'entretenir avec vous de l'avenir du monde vivant ? Comment vais-je me tirer de là ? Je n'en ai pas la moindre idée, et vous non plus.

Il y a une seule chose que je sais, c'est d'où c'est parti. Et à présent que c'est parti, c'est parti si violemment que je ne parviens pas à arrêter le mouvement, le tourbillon, le je-ne-sais-quoi qui me pousse impétueusement à poursuivre sans me demander mon avis. Alors que je me doute bien que vous auriez préféré que je vous sorte un petit roman policier distrayant. Après, c'est promis. Mais pas maintenant, je ne peux pas. Une sorte de nécessité implacable me pousse à écrire furieusement ce livre.

Je sais d'où c'est parti, de pas grand-chose en plus. Il y a dix ans, j'avais rédigé un très court texte sur l'écologie. Voilà tout, pas de quoi fouetter un bœuf. J'avais appris peu de temps après par des amis que des extraits en étaient imprimés sur des tee-shirts en Chine, au Brésil, et avaient même donné lieu à des pièces de théâtre. Cela m'avait étonnée et amusée. Mais ce n'en est pas resté là. Quand, au cœur d'une profonde et silencieuse nuit – non, pardon, je me suis trompée de phrase, je reprends. Quand, jour après jour, on m'informa de tous bords que ce texte, étrangement increvable, se baladait sur Facebook en cheminant à travers le monde. Allons bon. Je n'y étais pour rien, je vous l'assure. Et puis on me prévint qu'il serait lu par Charlotte Gainsbourg à l'inauguration de la COP24, en décembre 2018. Un texte vieux de dix ans ! Remarquez, au train où vont les COP, sans apporter un seul progrès, mes petites lignes restaient encore d'actualité. Et c'est alors qu'au cœur d'une profonde nuit (ce coup-ci c'est vrai), je conçus le projet (mais qu'est-ce qui m'a pris ?) de fourbir un texte de la même eau, mais un peu plus long, de quelque cinquante pages et pas plus pour ne pas assommer le lecteur, sur l'avenir de la Terre, du monde vivant, de l'Humanité. Rien que ça.

Je fais ici une pause dans cette Genèse d'un Livre Impossible en reproduisant ci-dessous ce petit texte au destin si singulier, afin que vous compreniez bien que je suis partie d'un rien pour parvenir à une énormité submergeante. Il date donc du 7 novembre 2008 :

> Nous y voilà, nous y sommes.
>
> Depuis cinquante ans que cette tourmente menace dans les hauts-fourneaux de l'incurie de l'humanité, nous y sommes. Dans le mur, au bord du gouffre, comme seul l'homme sait le faire avec brio, qui ne perçoit la réalité que lorsqu'elle lui fait mal.
>
> Telle notre bonne vieille cigale à qui nous prêtons nos qualités d'insouciance. Nous avons chanté, dansé. Quand

je dis « nous », entendons un quart de l'humanité tandis que le reste était à la peine.

Nous avons construit la vie meilleure, nous avons jeté nos pesticides à l'eau, nos fumées dans l'air, nous avons conduit trois voitures, nous avons vidé les mines, nous avons mangé des fraises du bout du monde, nous avons voyagé en tous sens, nous avons éclairé les nuits, nous avons chaussé des tennis qui clignotent quand on marche, nous avons grossi, nous avons mouillé le désert, acidifié la pluie, créé des clones, franchement on peut dire qu'on s'est bien amusés.

On a réussi des trucs carrément épatants, très difficiles, comme faire fondre la banquise, glisser des bestioles génétiquement modifiées sous la terre, déplacer le Gulf Stream, détruire un tiers des espèces vivantes, faire péter l'atome, enfoncer des déchets radioactifs dans le sol, ni vu ni connu. Franchement on s'est marrés. Franchement on a bien profité. Et on aimerait bien continuer, tant il va de soi qu'il est plus rigolo de sauter dans un avion avec des tennis lumineuses que de biner des pommes de terre. Certes.

Mais nous y sommes.

À la Troisième Révolution. Qui a ceci de très différent des deux premières (la Révolution néolithique et la Révolution industrielle, pour mémoire) qu'on ne l'a pas choisie.

« On est obligés de la faire, la Troisième Révolution ? » demanderont quelques esprits réticents et chagrins.

Oui. On n'a pas le choix, elle a déjà commencé, elle ne nous a pas demandé notre avis. C'est la mère Nature qui l'a décidé, après nous avoir aimablement laissés jouer avec elle depuis des décennies. La mère Nature, épuisée, souillée, exsangue, nous ferme les robinets. De pétrole, de gaz, d'uranium, d'air, d'eau.

Son ultimatum est clair et sans pitié : Sauvez-moi, ou crevez avec moi (à l'exception des fourmis et des araignées qui nous survivront, car très résistantes, et d'ailleurs peu portées sur la danse).

Sauvez-moi, ou crevez avec moi. Évidemment, dit comme ça, on comprend qu'on n'a pas le choix, on s'exécute illico et, même, si on a le temps, on s'excuse, affolés et honteux. D'aucuns, un brin rêveurs, tentent d'obtenir un délai, de s'amuser encore avec la croissance.

Peine perdue. Il y a du boulot, plus que l'humanité n'en eut jamais. Nettoyer le ciel, laver l'eau, décrasser la terre, abandonner sa voiture, figer le nucléaire, ramasser les ours blancs, éteindre en partant, veiller à la paix, contenir l'avidité, trouver des fraises à côté de chez soi, ne pas sortir la nuit pour les cueillir toutes, en laisser au voisin, relancer la marine à voile, laisser le charbon là où il est – attention, ne nous laissons pas tenter, laissons ce charbon tranquille –, récupérer le crottin, pisser dans les champs (pour le phosphore, on n'en a plus, on a tout pris dans les mines, on s'est quand même bien marrés).

S'efforcer. Réfléchir, même. Et, sans vouloir offenser avec un terme tombé en désuétude, être solidaire.

Avec le voisin, avec l'Europe, avec le monde.

Colossal programme que celui de la Troisième Révolution. Pas d'échappatoire, allons-y. Encore qu'il faut noter que récupérer du crottin, et tous ceux qui l'ont fait le savent, est une activité foncièrement satisfaisante. Qui n'empêche en rien de danser le soir venu, ce n'est pas incompatible. À condition que la paix soit là, à condition que nous contenions le retour de la barbarie, une autre des grandes spécialités de l'homme, sa plus aboutie peut-être.

À ce prix, nous réussirons la Troisième Révolution. À ce prix nous danserons, autrement sans doute, mais nous danserons encore.

Vous voyez, il n'y avait pas de quoi casser des briques. Et c'est ainsi, au cœur d'une profonde nuit, que l'idée d'un petit livret du même tonneau me parut tout à fait abordable, et même réjouissante, voire exaltante, si elle pouvait être de quelque modeste utilité. Abordable car je croyais bien m'y connaître sur les questions d'environnement, puisque, dès l'âge de vingt ans, je m'en préoccupais déjà intensément. Je savais bien sûr qu'il me faudrait effectuer quelques recherches, mais, bénéficiant de mon expérience de chercheur, cela ne m'inquiétait pas. Sachant aussi que je savais aligner deux mots, je ne me souciai pas du travail d'écriture.

Dès le lendemain, j'entamai aussi sec la phase de documentation, que j'estimais béatement à une semaine, l'esprit plutôt frais et un brin échauffé. Mais les semaines et les semaines s'enchaînèrent, ricochant de sujet en sujet, de thème en thème, tous indispensables, depuis la sardine jusqu'au protoxyde d'azote en passant par le méthane et la fonte des glaces, m'absorbant dans un travail si frénétique que je négligeai l'heure, les courses, les mails, la lessive et tutti quanti, mais pas la bouffe quand même, avalée vite et tard. Semaines frénétiques qui m'apprirent qu'en vérité je n'y connaissais presque rien, excepté, comme tout un chacun, la couche superficielle des choses. L'environnement, le vivant, l'humanité, se présentaient à moi sous des aspects nouveaux et sombres, à multiples facettes complexes et imbriquées les unes dans les autres, où je fouillais autant que possible – car c'est ma nature d'archéologue. Je peux vous garantir que dans ces cavernes, j'ai passé souvent de très sales moments, *échevelée, livide au milieu des tempêtes* (citation du grand

Hugo, ça ne fait jamais de mal), ou, plus sobrement dit, assise seulette sur la chaise de ma cuisine, hébétée. Mais attention. Pas une seconde je n'ai cessé de chercher en même temps de manière effrénée – névrotique même, disons le mot – toutes les *actions* possibles, des actions déjà en route, ou bien à mettre en route, ou encore en éclosion proche – car c'est ma nature d'aspirer intensément à *résoudre*. Dans un roman policier, rien de plus simple, puisque je triche, je connais déjà le crime et n'ai donc aucune peine à en trouver la solution. Mais en ce qui concerne le vivant sur Terre, je me suis retrouvée, stupéfaite, face au Crime le plus gigantesque qu'on ait pu concevoir. Je n'ose pas encore le nommer, je recule, car – comme le disait fort justement mon père – *rien n'existe avant qu'il ait été nommé.* C'est ainsi que quand je vous aurai décrit *et nommé* les trois cents tentacules de ce crime épouvantable, vous ne les oublierez pas, car ils existeront, durement sans doute. Mais en contrepartie, quand je vous aurai décrit et nommé toutes les actions possibles, vous ne les oublierez pas non plus. Elles existeront elles aussi et nous ne nous jetterons plus sur des fraises pesticidées venues du bout du monde en hiver à grand renfort de fuel.

Et, que diable, nous n'allons pas laisser ce crime monstrueux se produire ! En tout cas, pas avec l'ampleur que prévoient tous les scientifiques au vu de *l'inertie invraisemblable de nos dirigeants*, alors que tous sont fort bien informés depuis quarante années du cataclysme qui fonce sur la Terre. Informés beaucoup mieux que nous. Depuis le protocole de Kyoto (1997), les trente dernières années de lutte contre le réchauffement climatique n'ont même pas permis d'inverser la courbe des émissions de gaz à effet de serre ! Ni même de les stabiliser ! De COP en COP, de Sommet en Sommet, de Conférences en Conférences, quantité de promesses et d'engagements (non contraignants !) ont été pris tandis que la température continuait de monter et que la situation du vivant ne cessait d'empirer à une vitesse croissante ! Parlons-en un peu, de cette inertie invraisemblable et énigmatique.

Trop longtemps nous avons cru à leur mobilisation, à leurs efforts. Trop longtemps nous avons été confiants. Trop longtemps nous avons cru « qu'Ils feraient quelque chose » et que nos affaires s'arrangeraient. Trop longtemps nous avons déposé notre destin entre leurs mains inertes. Leurs mains ?

Justement. N'oublions pas que les gouvernants marchent main dans la main et doigts entremêlés avec les multinationales – paralysés par elles ? – et les plus puissants lobbies du monde, lobbies de l'agroalimentaire, lobbies des transports, lobbies de l'agrochimie, lobbies du textile et j'en passe, vous ne les connaissez que trop. Qui s'arc-boutent contre toute atteinte à leur immense pouvoir, c'est-à-dire, et c'est le mot-clef de la catastrophe, contre toute atteinte à l'**Argent**, au toujours plus d'**Argent**. Le leur, pas le nôtre. Et pour que l'argent continue à entrer à flots, à accroître encore et encore leurs milliards de milliards quasi exemptés d'impôts ou bien nichés à l'abri dans les planques fiscales, il faut de la **Croissance**, et c'est le deuxième terme clef. Pour que cette croissance persiste et augmente, il faut donc que les gens achètent, consomment, tout et n'importe comment, mais toujours plus.

J'opère une séparation absolue entre « **Eux** » (« Ils ») – qui regroupe nos gouvernants apparemment impuissants et les industriels milliardaires à la tête des lobbies qui les tiennent sous leur coupe –, une séparation entre « **Eux** » et « **Nous** », nous, les Gens, les petits, les plus grands, les moyens, les bourgeois, de gauche, de droite, qu'importe, enfin nous, les Gens. Et pour Eux, « les gens » semblent représenter une sorte de masse anonyme et non pas ce que nous sommes en réalité : une addition de milliards d'individus différents et pensants. Depuis quarante ans, et bien que conscients des enjeux, Ils nous dissimulent ce que nous *aurions dû* savoir, si bien que nous avons continué d'avancer à l'aveugle, inconscients et crédules.

Ils nous le dissimulent, ils gardent au secret les détails multiples de l'état du monde, et je ne saurais honnêtement dire si c'est sciemment, afin de ne pas déclencher une peur (une panique ?) qui provoquerait une contraction du marché et un effondrement des banques, ou bien si c'est par l'effet d'un immobilisme, d'une paralysie, d'une sorte d'anesthésie issue d'un système capitaliste mondial duquel ils ne savent pas comment s'arracher. Les deux sans doute. Reste que cette désinformation, volontaire ou passive, des Gens, à travers le monde entier, est une faute gravissime. Recevons-nous dans nos boîtes aux lettres ou sur notre mail des brochures émanant de l'État, destinées à nous alerter sur tel ou tel aspect de la situation du monde et nous enjoignant d'adopter tel ou tel type de comportement ? Mais jamais, et cet invraisemblable silence est intolérable.

Il faut signaler pour la France que le Premier ministre Édouard Philippe a souvent parlé en public en 2017 (devant l'Assemblée nationale), et plusieurs fois en 2018 (le 28 juin à Châlons-en-Champagne, le 4 juillet au Muséum national d'Histoire naturelle), d'un de ses livres de prédilection, et qui n'est pas des moindres, *Effondrement*, de Jared Diamond [1], posant la question de la transformation du monde. Même question évoquée par le président Emmanuel Macron dans une vidéo sur YouTube le 24 mars 2018. Mais si nos dirigeants (en France) sont donc à l'évidence conscients, concernés et même préoccupés, et l'ont dit (encore faut-il chercher sur Internet pour trouver ces extraits [2]), ils n'ont pas évoqué de plan ou de mesures pour mettre en route cette transformation qui doit prendre effet dans les plus brefs délais, de sorte que jusqu'ici tout paraît continuer comme avant…

Bien sûr, les Gens pourraient passer des centaines d'heures à fouiller sur Internet ou dans des revues scientifiques ou grand public, auprès d'associations, d'instituts, d'universités, qui publient de telles données. Mais qui va faire cela ? Et où trouveraient-ils le temps ?

Certes, en creusant bien et pour être honnête, il existe sur Internet des informations sur les sites du ministère de la Santé ou du Développement durable, qui se réfèrent souvent à des données déjà un peu anciennes et résument les engagements pris. Voici un exemple d'un tel résumé sur les « Émissions de gaz à effet de serre » : « D'origine naturelle, l'effet de serre s'est amplifié depuis le début de l'ère industrielle avec la combustion d'énergies fossiles (libérant du CO_2 dans l'atmosphère), l'élevage intensif (source de méthane et d'oxyde nitreux), la production d'halocarbures réfrigérants… La convention cadre des Nations unies sur le changement climatique, le protocole de Kyoto, le marché européen des droits d'émission, le plan climat national visent à stabiliser ou réduire les émissions de gaz à effet de serre [3]. » Et voilà, c'est tout. Ensuite il faut encore faire l'effort d'aller chercher des informations plus précises dans les sous-thèmes proposés sur le site, « chiffres clés du climat, France, Europe et Monde ». On espère, on y va. Exemples : « Comme à l'échelle mondiale, l'évolution des températures moyennes annuelles en France métropolitaine montre un réchauffement net depuis 1900. Ce réchauffement a connu un rythme variable, avec une augmentation particulièrement marquée depuis les années 1980. 2016 est à nouveau une année chaude qui a dépassé de 0,5 °C la moyenne annuelle de référence (1981-2010) mais cette année ne présente pas de caractère exceptionnel à l'échelle de la France métropolitaine et se classe au 10e rang loin derrière 2014 [4]. » Un peu d'autosatisfaction et surtout aucun alarmisme, vous ne trouvez pas ? Il semble bien que la crainte d'inquiéter les gens pèse sur ces exposés. Puis un rappel bien plat des projections du GIEC (Groupe d'experts intergouvernemental sur l'évolution du climat) (datées de 2014 ! *alors qu'il s'agit de l'édition ministérielle de 2018 !*) : « Ces profils correspondent à des efforts plus ou moins grands de réduction des émissions de GES (gaz à effet de serre) au niveau mondial. À partir de ces derniers, des simulations climatiques et des scénarios socio-économiques ont été élaborés. » Oui, on le savait déjà. Mais quels scénarios, et pour quelle date ? Sur la fonte des glaces, on trouve une conclusion la plus évasive possible : « Malgré de nombreux progrès dans les dernières années, les modèles de prévision concernant la fonte des glaces possèdent encore de grandes marges d'incertitude. » Mais nous, nous verrons, soyez-en sûrs, ce qu'il en est de ces prétendues « incertitudes [5] ».

Dans ce long document ministériel – que la majorité d'entre nous abandonnerait vite fait en cours de lecture vu son inconsistance –, où il est essentiellement question des gaz à effet de serre, seulement deux à trois lignes sur l'agriculture industrielle, aucune présentation de la totalité des gaz à effet de serre et surtout pas du pouvoir réchauffant de chacun ni de leur durée de séjour sur la Terre ! Au final, des textes d'une confondante vacuité, qui ne nous apprennent strictement rien sur les risques immenses encourus par le monde vivant dans un proche avenir. Des faits déficients et des courbes sans aucune alerte, sans la moindre précision sur les *effets* des projections les plus pessimistes du GIEC.

C'est à n'y pas croire. Je ne me décourage pas, je fais un tour du côté si crucial de l'élevage et de l'agriculture : non, rien. Sidérant, non ? Je tape « ministère méthane » : rien non plus, sauf un seul site vantant les mérites de la méthanisation [6]. Une dernière vérification sur les terribles gaz fluorés. Ah, un document qui, tout de même, pointe (mais très rapidement) leur dangerosité et donne un chiffre : « Les gaz à effet de serre fluorés auxquels nous nous intéressons (PFC, SF_6, et HFC) sont responsables du réchauffement climatique. À titre d'exemple, un dégazage dans l'atmosphère de 1 kilo de HFC-134 aura le même impact sur le climat que 1 300 kilos de CO_2 ou encore le même impact qu'un parcours de 10 000 km en berline. » Puis on passe vite aux réglementations internationales et nationales et à la « substitution des HFC ». On espère encore, on cherche, on est plus que déçus : « De nombreuses alternatives existent déjà, y compris avec des fluides connus de longue date : dioxyde de carbone (CO_2), hydrocarbures, ammoniac (NH_3)... » Les points de suspension, assez remarquables, ne sont pas de moi, et les substances citées ne sont guère écologiques. C'est tout. Un conseil est malgré tout donné (il faut encore creuser plus loin pour le trouver) : « Le ministère de l'Environnement a publié une plaquette de communication pour informer les détenteurs d'équipements de réfrigération/climatisation et pour donner de bons exemples de substitution à destination des entreprises [7]. » Très bien j'obéis, je suis bonne citoyenne, j'y vais. (Qui, mais qui va faire tout ce boulot pour n'obtenir au bout du compte aucune vision précise d'avenir ? Qui va se mettre en quête de ces sites et lire tout cela ?) Je trouve un document très long et hermétique où j'apprends que « Le Règlement F-Gaz UE va imposer une adoption à grande échelle des technologies respectueuses de l'environnement pour les nouveaux équipements et produits d'ici 2030 », que « La réduction progressive des HFC va imposer une transition quasi complète vers de nouveaux équipements sans HFC dans presque tous les secteurs d'ici 2030 », et que « Les décisions concernant le calendrier de réduction post-2030 seront prises bien avant 2030 [8] ». C'est tout. Pas la moindre précision sur ces « nouveaux équipements et produits », et rien, une fois de plus, sur les effets de ces gaz sur l'avenir du monde.

Les bras m'en tombent. Pardon pour ce long passage, ennuyeux comme tout c'est certain, à travers les sites ministériels, mais par honnêteté, il me fallait le faire. J'ai également tapé « ministère / urgence / transition écologique / dangers environnement / etc. Résultat nul. Nous voilà fixés. Je n'avais pas tort en vous parlant de « désinformation », dont je ne sais, je l'ai dit, si elle est voulue ou assujettie à un mode de fonctionnement qu'on ne sait comment freiner. Je dois dire que je suis sortie assez atterrée de ces sites officiels, et stupéfaite par l'usage de la concision et du flou qui y est déployé.

À cette désinformation s'ajoute la pression considérable de la Publicité, envahissante, continue, à laquelle nul ne peut échapper. Elle nous bombarde, elle nous assiège, elle nous écrase. Et que nous rabâche-t-elle ? *Achetez ceci, achetez cela, et ainsi serez-vous heureux.* Dites, depuis quarante ans, avons-nous vu une seule publicité nous incitant à la modération ? Avons-nous vu une seule fois « Économisez l'eau », « Mangez moins de viande », « Réduisez le plastique » ? Mais jamais ! En revanche, boire une gorgée de café vous entraîne sur-le-champ dans un royaume féerique, semé de paillettes d'or ; user d'une goutte de parfum vous transforme en beauté si désirable que les hommes se traînent à vos pieds. Et le gars qui conduit sa voiture ? Vous le connaissez bien, lui aussi, qui pénètre dans un univers de béatitude sitôt qu'il tient son volant. Vous aurez noté qu'il roule toujours seul sur une route déserte dans un paysage splendide, et en aucune manière coincé dans les bouchons depuis deux heures. Ainsi en va-t-il de toutes les publicités, ainsi vendent-elles un rêve factice et inaccessible. Non qu'on y croie. Nous sommes des êtres pensants. Mais, imbibés à l'excès, nous essayons de l'atteindre, ce rêve, en achetant et achetant, espérant que ce shampoing fera gonfler et briller nos cheveux (prévenez-moi si cela vous est arrivé), espérant que ces céréales feront la joie des matins – alors qu'elles sont toxiques, mais nous ne le savons pas, et apparemment nous ne devons pas le savoir, à aucun prix. Abrutis. Car le message publicitaire a ceci de pervers, c'est bien connu, qu'il a pour effet de nous faire confondre inconsciemment le bonheur et les biens matériels, de faire se sentir « ridicule », « dévalorisé » ou même « raté » celui ou celle qui ne possède pas tel modèle de voiture, tel parfum, tel smartphone. Ainsi sommes-nous désinformés, décervelés, transformés en automates crédules et consentants, alors qu'en nous incitant sans cesse à croire à la nécessité de cette sacro-sainte croissance, ils mettent nos vies – des milliards de vies – en péril mortel, et ils le savent.

Je ne veux pas dire par « désinformation » que nous ne sachions rien. Chacun est au courant aujourd'hui que la Terre va mal et, alors que les « écolos » étaient encore souvent moqués il y a peu, il n'existe plus de climatosceptiques (à l'exception de Donald Trump, c'est bien notre chance, qui se fige dans une posture insensée de déni obstiné). Nous savons tous que la température monte, que les glaces fondent, que les océans sont souillés, que la pollution nous envahit, que des espèces animales meurent, que les pesticides et les métaux lourds abîment notre alimentation et nos organismes.

Mais au-delà de cette connaissance très diffuse et généraliste, que savons-nous ? Vraiment pas grand-chose, croyez-moi. C'est-à-dire rien de précis. Ce qui nous permet de continuer, dans les pays développés et même dans ceux en voie de développement, à vivre le nez au vent comme si de rien n'était. Comme si tout allait finir par s'arranger. Et c'est contre cette désinformation intolérable que je désire lutter, à la hauteur de mes petits moyens. Ainsi serez-vous, *enfin*, au courant de l'avenir qui nous attend dans un temps très proche, et de manière précise. Ne croyez pas que j'en savais plus que vous. J'ai cherché, bossé, et au bout du compte est arrivé ce qui devait arriver : *j'ai su.* Et ce que j'ai su, il me faut vous le dire, car c'est *ensemble* que nous pourrons affaiblir le choc – déjà bien en route – qui s'apprête à frapper notre Terre et son monde vivant.

Je ne veux pas, en séparant « Eux » de « Nous », tomber dans le travers classique de l'homme qui, en cas de tragédie, rejette la responsabilité sur autrui. Nous aurions pu, et dû, nous, être beaucoup plus vigilants, et nous avons fait preuve d'un manque de discernement et d'une crédulité excessive, mais aussi – ceci expliquant cela – d'une tendance nette à l'évitement, au désir confus de ne pas trop savoir, protégeant ainsi par instinct notre psychisme d'une angoisse déstabilisante. Protection qui nous permettait de continuer à travailler, élever les enfants, vivre enfin. Et nous avons préféré nous en remettre à l'espoir venu de cette succession de COP et de sommets, espoir dont nous savons aujourd'hui qu'il était vain. Reste que « Eux », informés mais suspendus à un modèle de société productiviste de consommation auquel ils ne souhaitent – ou ne peuvent

– pas toucher, entraînés eux aussi dans une forme de déni, sont depuis toutes ces décennies les responsables majeurs de la situation à laquelle nous sommes parvenus. Responsables car c'étaient, et ce sont, nos *élus*, et la responsabilité est bel et bien la base même de leur devoir. C'était donc bien à Eux de commencer à mettre en place, il y a longtemps, la modification de nos modèles de production et de consommation, quitte à provoquer la fureur des lobbies qui nous lient les mains.

À exclure, non des Gens, mais des gens confiants que nous étions, les chercheurs, qui bossent sans relâche. La quantité d'innovations apparue ces quelques dernières années est impressionnante, que ces innovations soient viables ou non. Bien sûr, la majorité de ces recherches est motivée par l'Argent, non pour les chercheurs eux-mêmes mais pour les industries ou les laboratoires pour lesquels ils travaillent : la première firme qui mettra au point une batterie performante non polluante, un système de stockage des énergies renouvelables, un capteur de CO_2 efficace, etc., remportera tous les marchés du monde. Ce n'est pas rien. Mais les chercheurs, saluons-les, nous en avons terriblement besoin. Il existe aussi des chercheurs indépendants, des hommes et des femmes qui inventent de leur côté. Saluons-les de même.

En dépit de la désinformation massive, nous sommes pourtant de plus en plus conscients, depuis quelques années, qu'une terrible menace s'amplifie. Plus conscients encore aujourd'hui. Car le fameux Secret filtre enfin, il suinte et s'écoule de plus en plus chaque jour par le biais de tous les médias. Mais nous, devenus malléables comme pâte à pain, nous baissons encore les bras, fatalistes, envahis d'un décourageant sentiment d'impuissance, et nous nous répétons, vaincus d'avance : « "Ils" vont bien trouver quelque chose. » Non, n'y croyons plus.

Et moi, je dis : Nous, *les Gens*, impuissants ? Mais jamais de la vie. Car enfin, combien sont-ils dans le monde, les gouvernants et les multimilliardaires ? Quelques milliers ? Deux mille ? Et *nous*, nous les *Gens*, combien sommes-nous ? Plus de sept milliards et demi. Je ne crois pas m'avancer beaucoup en constatant que le rapport de forces est très nettement en notre faveur, profitons-en, jetons-nous dessus. Et puisqu'Ils ne font rien, puisque la dernière COP24 a encore échoué, comme prévu, c'est à Nous, les Gens, avec l'aide des ONG et des associations, de prendre les choses en main et d'agir avant eux.

Ce nouvel échec de la COP24 a donné lieu, pour la première fois depuis l'histoire de ce Crime en marche, à une pétition des citoyens à l'adresse de l'État français, décidant d'une action en justice pour inaction en faveur du climat, pétition intitulée *L'Affaire du siècle*, qui en quelques jours, et à l'heure où j'écris, a dépassé 2 millions de signatures. C'est une sacrée montée en force et c'est du jamais-vu. Nous ne sommes pas seuls. Partout dans le monde, des manifestations s'organisent : *Les Gens* ont cessé de croire en Eux, l'ère de l'obéissance des peuples s'achève. Vous me direz : « Mais, hormis signer des pétitions, on ne peut rien faire ! » Si. Nous pouvons même *tant faire* que nous sommes capables, à nous seuls, de renverser certains équilibres mondiaux et de faire mettre genou à terre à quelques grands lobbies. Et ce, dès demain. Ou, si vous préférez, dès le mois prochain. Je ne vous dis pas que nous pourrons bricoler une batterie verte ou un capteur de CO_2 dans notre garage, mais nous avons, vous le verrez, de quoi agir de manière *déterminante* sur bien d'autres plans. On a du pain sur la planche, Nous, les Gens.

Attendez, ce n'est pas tout : 82 % de la richesse mondiale s'est retrouvée l'an dernier dans les poches des plus grandes fortunes de la planète, qui représentent 1 % de la population mondiale, alors que la moitié la plus pauvre de l'humanité (3,7 milliards de personnes) n'a rien reçu. Et la fortune de ces multimilliardaires a augmenté de 13 % en dix ans ! Pour les pays en développement, l'évasion fiscale représente une perte de 170 milliards de dollars chaque année [9]. Vous ne croyez pas que cette manne permettrait d'isoler les bâtiments, de fournir des aides aux agriculteurs, de réparer l'infrastructure des tuyaux d'alimentation en eau des terres africaines, qui sont si vétustes que 70 % de cette eau se perd ? D'apporter l'eau potable aux habitants ? D'installer d'immenses parcs d'énergie solaire dans ces pays si ensoleillés ? De fortifier plus encore la recherche ? (Ah, j'oubliais de préciser que je mets un bémol pour Bill Gates, dont on connaît l'engagement en faveur du climat, et qui entraîne d'autres grosses fortunes dans le sillage de son action. Néanmoins, « la Fondation de charité Bill et Melissa Gates, la plus importante du monde, dotée d'un budget de 43 milliards de dollars, a investi en 2013 pour 1,4 milliard de dollars dans des sociétés exploitant les énergies fossiles [10] ». Il y a là une bien lourde contradiction.)

J'insiste encore : à la seule échelle des 28 membres de l'Union européenne, « environ 1 000 milliards d'euros sont perdus chaque année à cause de l'évasion et de la fraude fiscales », estime le Parlement européen [11]. *Vous vous rendez compte de tout ce que l'on pourrait mettre en œuvre avec ça ?* En contraste, un constat très choquant de la COP24 : « Au niveau des financements, nous ne sommes qu'à la moitié des 100 milliards promis en 2010 par les pays développés aux pays les plus fragiles, or cette somme doit être trouvée et opérationnelle dès 2020 [12]. » On ne disposerait donc que de 50 milliards d'aide, soi-disant ! Alors que l'Europe voit s'évader chaque année 1 000 milliards ! Vous serez d'accord avec moi pour dire qu'il y a là un truc qui ne va pas, mais alors pas du tout.

Par ailleurs, selon la Commission européenne, le taux d'imposition sur les bénéfices des colosses du numérique en Europe (fraude non comprise) est en moyenne de 9 % [13]. Vous payez 9 % d'impôt, vous, les foyers modestes, les bourgeois et grands bourgeois ? Je ne crois pas, non. Il est vital que les États récupèrent cet argent dissimulé. Ainsi le monde sera-t-il à même de financer la transition. Que dis-je, « transition » ? C'est d'un changement radical et rapide qu'il s'agit. Un changement de nos mentalités, de nos comportements, de nos modes de vie. Un changement *indispensable.*

Je n'ai toujours pas prononcé les mots tragiques qui nous mènent droit et sans hésiter vers ce bouleversement, je le sais, je diffère encore un peu mais j'y viens.

Je vois que j'ai déjà écrit une vingtaine de pages, je crains de dépasser les cinquante que j'imaginais, attendu que la documentation que j'ai réunie dépasse les cinq cents pages. Je risque de déborder quelque peu pour pouvoir tout vous dire, *car il nous faut savoir pour agir.* Or donc, je n'ai plus le choix. Je vais d'abord brancher sur mon ordinateur un petit appareil dictatorial qui m'aidera à éviter les digressions dont je suis coutumière. Il s'agit d'un Censeur d'Écriture Intégré (dit CEI), qui surveille chaque ligne que je tape. Je dois le programmer : pas de hors-sujet, pas d'abus de termes techniques, des références obligatoires et un vocabulaire familier accepté. Voilà, je le branche. Et je vous nomme à présent les choses indicibles. Cela va être dur, je vous l'ai dit. Mais n'oubliez pas l'existence des *actions*, l'existence des possibles, ni cette manne financière qu'il nous faut à toute force récupérer.

J'y vais. Je le dis.

L'ONU, elle, ne mâche pas ses mots. Je commence par l'alarme lancée par son secrétaire général, Antonio Guterres, lors du Forum économique mondial de Davos en janvier et adressée aux quelque 3 000 responsables économiques et politiques : « Le changement climatique court plus vite que nous [...] et ce pourrait être une tragédie pour la planète. » « La volonté politique est absente [...] alors que le changement climatique est le problème le plus important auquel l'humanité est confrontée. » « L'évolution est pire que prévue [...] et il est donc absolument indispensable d'inverser la tendance. » « Nous continuons à subventionner les énergies fossiles, ce qui n'a aucun sens [14]. » Lors de la COP24, il avait déclenché l'alerte : « Pour beaucoup de gens, c'est déjà une question de vie ou de mort, alors il est difficile de comprendre pourquoi nous, collectivement, avançons toujours si lentement, et même dans la mauvaise direction [15]. »

Ceci pour vous assurer que je ne vous livre pas des foutaises de militante surexcitée, pas du tout.

« De vie ou de mort. » Les termes sont dits. Par l'ONU.

La température moyenne mondiale a déjà augmenté de 1 °C par rapport à l'ère préindustrielle et continue de croître. *Si rien n'est fait, « les températures sur Terre devraient augmenter en moyenne de 4 à 5 °C »* dans le siècle (alerte du journal *Proceedings of the National Academy of Sciences* [16]). Certains parlent même de 7 °C ou 8 °C.

Ah, mon Censeur d'écriture se met déjà en route et me bipe, me signalant que le terme « foutaises » ne ressort pas du vocabulaire familier mais franchement grossier. Très bien, j'en prends note.

Le pire n'est pas dit, j'affronte, j'écris, car tout cela, Eux nous l'ont criminellement dissimulé, je n'aurai de cesse de le répéter. *Et si Eux s'y étaient collés il y a quarante ans, ou même vingt-cinq, nous serions fin prêts.* Et nous ne le sommes pas, mais pas du tout. Cela me met dans une telle colère que…

— Bip : Vous n'avez pas à parler de votre « colère ». Hors sujet, faites demi-tour immédiatement.

— Bon, bon.

À présent, bouclez vos ceintures et accrochez-vous :

Une nouvelle étude de l'université d'Hawaï, confirmant celle du GIEC, tire la sonnette d'alarme : en l'absence de réduction drastique des émissions de CO_2, jusqu'à 75 % des habitants de la planète pourraient être victimes de vagues de chaleur meurtrières à l'horizon 2100, où nous pourrions atteindre + 3,7 °C (GIEC) à 4,8 °C par rapport à la période 1986-2005 [17]. C'est-à-dire, allons jusqu'au bout des mots : mourir. 75 %, vous rendez-vous compte ? Les trois-quarts de l'humanité… Alors que nous fait encore tressaillir le spectre de la peste médiévale qui ne faucha « que » un tiers des hommes lors de sa première poussée. Les trois quarts des hommes en danger de mort, c'est ce vers quoi nous courons. Et depuis au moins 40 ans, les gouvernants laissent cette course mortifère se poursuivre sans frein. Il faut savoir qu'un réchauffement de + 4 °C signifie *+ 10 °C sur les continents* [18], et la Terre devenue de la sorte aride, désséchée et suffocante sera alors invivable, pour tous.

Selon une autre nouvelle étude [19], 30 % de la population mondiale est à l'heure actuelle exposée à des vagues de chaleur potentiellement meurtrières 20 jours par an voire plus. Les canicules dangereuses sont bien plus fréquentes qu'on ne le pense et tuent dans plus de soixante régions du globe chaque année. En Inde et au Pakistan, les températures ont atteint l'an dernier un record de 53,5 °C. Cette année, elles ont frôlé les 50 °C en Australie [20].

Un groupe international de chercheurs a étudié plus de 30 000 publications, à la recherche de données relatives à 1949 cas de villes ou de régions où des décès ont été causés par une forte hausse des températures. Des vagues de chaleur meurtrières ont été enregistrées à

New York, Washington, Los Angeles, Chicago, Toronto, Londres, Pékin, Tokyo, Sydney et São Paulo. Et 70 000 morts en Europe en 2003, 10 000 à Moscou en 2010, 700 à Chicago en 1995 [21].

Les pays du Sud vont être les plus sévèrement touchés, dans les régions tropicales humides où une légère hausse des températures *et* de l'humidité peut être meurtrière, même à des températures inférieures à 30 °C [22]. Et la chaleur peut atteindre des pics plus élevés dans les régions subtropicales.

Selon le GIEC, il existe deux manières d'envisager le futur. Dans le premier cas, si la pollution au carbone est puissamment réduite dans les années à venir (et pour être honnête, au rythme – nul – où l'on va, j'en doute beaucoup !), la zone touchée représenterait un quart du globe et la moitié de l'humanité. Les scientifiques sont encore plus pessimistes et estiment que la seconde option, celle où les émissions de gaz à effet de serre vont augmenter, est plus plausible. Dans ce cas, on a vu que la moitié de la planète sera touchée [23] et 75 % de la population mondiale sera en péril vital. Il faut savoir que même si les émissions de gaz à effet de serre s'amenuisaient d'ici la fin du siècle, 48 % de la population humaine mondiale serait tout de même frappée [24] et continuerait de l'être puisque le CO_2 a une « durée de vie » dans l'atmosphère de 100 à 200 ans. Concernant ce seul CO_2 qui ne cesse d'augmenter, il avait atteint 405,5 ppm (soit parties par million, autrement dit nombre de molécules par million de molécules d'air) en 2017 et a culminé à 410 ppm en avril 2018 [25]. Selon d'autres chercheurs, le taux de ppm-éq CO_2 (équivalent

CO_2) dans l'atmosphère est déjà à 490-535 et atteindra 855-1130 ppm-éq CO_2 à la fin du siècle[26].

Ce n'est rien de dire que *le temps presse plus que jamais pour mettre fin définitivement et en urgence à nos émissions de gaz à effet de serre si l'on veut que l'humanité survive.*

Là, je dois faire une interruption, mais ça ne va pas être long, ne vous en faites pas ; je dois parler de cette affaire de « durée de vie » d'un gaz, expression que l'on trouve partout. C'est une donnée fausse et je ne sais pas pourquoi elle est utilisée, pour une plus grande simplicité sans doute. Je vous explique le truc et ensuite on n'en parle plus. Un gaz n'est pas un être vivant, on s'en doute, et donc le CO_2 émis ne va pas mourir d'un seul coup d'un seul après 100 ou 200 ans. Il va peu à peu diminuer dans l'atmosphère en s'intégrant à d'autres milieux (océans, sols, végétaux), c'est-à-dire qu'au fond il va transiter, et la durée de son « voyage » hors de l'atmosphère dépend de quantité de conditions du moment dont je vous fais grâce avec plaisir[27]. Pardon de ne pouvoir vous dire exactement en combien de temps il aura été absorbé. Disons, pour simplifier les choses (moi qui n'étais pas douée en chimie durant mes études, je suis servie), que

— Bip. Vos performances personnelles en chimie n'intéressent personne. Faites demi-tour immédiatement.

Mon Censeur d'écriture est implacable, hein ? Donnez-moi une seconde, je lui réponds.

— Je souhaite dire au lecteur que je suis comme lui, je fais partie de « Nous, les Gens ».

Et je reprends. Disons, pour simplifier de beaucoup les choses, qu'il vaut mieux parler de « durée de demi-vie », ou plutôt de « durée de séjour ». Vous avez suivi l'affaire ? Mais tous les gaz ne transitent ou ne « disparaissent » pas de la même manière, ce serait trop simple : le méthane, par exemple, disparaît par oxydation dans l'atmosphère ou la stratosphère [28] pour donner... du CO_2 (je simplifie je simplifie). Pour les gaz fluorés (et on y viendra, c'est inévitable...), les rayonnements électromagnétiques émis par le soleil ainsi que les rayons cosmiques en cassent des molécules dans la haute atmosphère. Une partie des gaz fluorés disparaît de cette façon [29].

Ce qu'il faut retenir, c'est que quand je parlerai de « durée de séjour » d'un gaz à effet de serre, ce sera une notion à prendre avec des pincettes puisque le temps de disparition ou de transformation de ce qu'il restera varie selon chaque gaz. Pour simplifier plus encore, sachons seulement qu'après leur « durée de séjour », nous ne serons pas débarrassés de ces gaz aussi sec. Tiens, ç'aurait été trop beau. Je trouve que je ne me suis pas trop mal tirée de ce passage chimique, je reprends mon souffle. Cela m'a demandé tant de concentration que j'en ai oublié d'aller étendre mon linge. Soyez gentils de m'attendre quelques instants, je reviens.

— Bip. Remarques totalement déplacées, hors de propos, voire un rien vulgaires.

Mon Censeur commence à me porter sur les nerfs, je ne vois pas en quoi étendre son linge est un rien vulgaire. Ce doit être un ascète ou quelque chose de peu agréable de cet ordre.

Ah, je vois que vous m'avez attendue, merci beaucoup, vous avez une patience d'ange, je reprends mon tour du monde avec vous.

En Asie, la chaleur humide extrême à attendre risque de rendre une partie du sud inhabitable à la fin du siècle, toujours si rien n'est fait (*Science Advances*). Ces vagues de chaleur mortelle pourraient même se produire d'ici seulement quelques décennies dans des régions d'Inde, du Pakistan et du Bangladesh, y compris dans les bassins fertiles de l'Indus et du Gange[30][31]. En Chine, la plaine du Nord pourrait devenir la plus caniculaire du monde[32]. Dans la région du Golfe, des pics de température humide frôleront ou dépasseront le seuil critique.

Le continent africain serait le plus durement touché dans bon nombre de pays (région subsaharienne), suivi de l'Amérique centrale et de l'Amérique du Sud. N'allez pas croire, si vous êtes européen, que la moitié nord de la Terre sera épargnée. Les États-Unis et l'Europe de l'Ouest connaîtront des épisodes caniculaires puissants, quand l'Europe du Nord et quatre pays d'Europe centrale seraient assez épargnés. Ailleurs, en France du Sud, en Italie, dans les Balkans et surtout dans l'Europe de l'Est, la situation sera peu enviable[33]. Nul ne sera à l'abri des événements météorologiques extrêmes, ni des épidémies actuellement connues dans les pays chauds (la dengue par exemple ; vous savez tous que le moustique tigre, son vecteur potentiel, mais également celui du chikungunya, est entré en Europe et était déjà présent dans 20 départements en 2015 [34]). Tout cela sans parler encore de l'élévation du niveau des mers. (Si vous comptiez dans vos rêves vous installer dans une région ensoleillée ou proche d'un littoral, je crois devoir vous dire que mieux vaut y renoncer...).

Et puisque j'écris ce livre depuis la France, je note que 2018 a été l'année la plus chaude depuis 1900 [35]. Depuis l'Accord de Paris il y a quatre ans, qui fut tant salué, la France a réussi l'exploit d'augmenter ses émissions de gaz à effet de serre. Bravo.

Les catastrophes naturelles devraient continuer à se multiplier et provoquer des migrations de populations. Dans un rapport publié en 2012, l'ONU prédisait 250 millions de déplacés dans le monde en 2050 et estimait que près de 600 millions de personnes pourraient souffrir de malnutrition d'ici 2080 [36].

Le dernier rapport choc du GIEC (inattaquable, je le répète) remet en cause l'Accord de Paris de décembre 2015 : il ne s'agit plus d'accepter une augmentation de 2 °C d'ici à 2100, *mais de se limiter à 1,5 °C.* « *Au-delà d'une hausse de 1,5 °C, la planète tout entière changera de visage [...] Or, au vu du rythme actuel, la hausse de 1,5 °C pourrait être atteinte entre 2030 et 2052* [37]. » Selon le GIEC toujours, la première mesure à prendre serait de faire baisser les émissions de CO_2 de 45 % en 2030 (dans 11 ans !) par rapport à 2010. *Puis d'atteindre une émission zéro carbone en 2050.* Quant aux énergies renouvelables, elles doivent passer de 20 à 70 % de la production électrique au milieu du siècle, les transports atteindre à cette date 35-65 % d'énergies bas carbone en 2050, et les industries réduire leurs émissions de CO_2 de 75-90 % d'ici 2050. La COP24 *devait donc obligatoirement modifier* les objectifs de la COP21. *Et elle ne l'a pas fait*, se crispant sur l'objectif de +2 °C[38]. Il faut préciser que le rapport du GIEC, s'il l'a signalé, n'a pas intégré dans ses estimations de hausse de température les effets de la fonte du pergélisol (ou permafrost) et la libération des énormes quantités de méthane qu'il contient. L'Accord de Paris et la COP24, c'est triste à dire, admettent explicitement le choix d'une trajectoire de « dépassement », c'est-à-dire culminant d'abord vers 2 °C pour s'efforcer ensuite de revenir à 1,5 °C. Cette stratégie de dépassement est extrêmement risquée car il sera quasi impossible de revenir à des niveaux inférieurs par la suite et de contrôler les phénomènes qu'une hausse de 2 °C, soit environ + 5 °C sur les continents, auront entraînés. Ce choix équivaut à accepter le risque – non « volontaire » mais implicite – de la mort des trois quarts de l'humanité. Un choix de mort ahurissant et follement inconscient. Si rien de décisif n'est mis en place d'ici 2030, et si cette trajectoire d'inertie et de changements modérés se poursuit jusqu'en 2050, c'est l'humanité tout entière qui disparaîtra. C'est là où nous conduit le comportement invraisemblable des gouvernants des pays riches et pollueurs de la planète. *Atteindre 0 % d'émissions carbone en 2050 est un impératif vital.*

Faisons un tour rapide des impacts de ce réchauffement et de la dégradation de la Terre et du monde vivant à travers le monde aujourd'hui : en Afrique, « quelque 500 000 km^2 de terres (soit environ la surface de l'Espagne) sont déjà dégradées du fait de la déforestation, de l'agriculture non durable, du surpâturage, des activités minières ou du réchauffement. Cela, alors qu'en zone rurale la subsistance de plus de 62 % des habitants dépend de la bonne santé des milieux naturels. » À la fin du siècle, certaines espèces de mammifères et d'oiseaux pourraient avoir perdu plus de la moitié de leurs effectifs, et la productivité des lacs (en poissons) pourrait avoir baissé de 20 % à 30 % [39].

Situation angoissante aussi en Asie-Pacifique, où la biodiversité est en grand danger, « allant des phénomènes météorologiques extrêmes et de l'élévation du niveau de la mer aux espèces exotiques envahissantes, à l'intensification de l'agriculture, à la surpêche et à l'augmentation des déchets et de la pollution [40] ». Tout cela ne nous met pas d'humeur allègre, mais hélas je n'ai pas fini mon tour : plus de la moitié des prairies d'Asie sont dégradées, un quart des espèces endémiques sont menacées, et 80 % de ses rivières sont les plus polluées par les déchets plastique dans le monde… Imaginez… Si les pratiques de pêche se poursuivent sans changement (et là, ce n'est qu'un exemple encore : la désinformation des pêcheurs bat son plein), il n'y aura plus de stocks de poissons exploitables dans 30 ans. Quant aux coraux, on connaissait déjà leur sort : 90 % seront dégradés avant le milieu du siècle. Or plus d'un million d'espèces animales et végétales y sont associées et ils accueillent plus de 25 % des espèces de toute la vie marine [41].

Passons en Amérique, où, *si rien n'est fait*, les effets du dérèglement climatique sur la biodiversité vont s'intensifier d'ici 30 ans. Ce sera un facteur de déclin aussi puissant que le changement d'affectation des terres : la quasi-totalité des prairies d'herbes hautes d'Amérique du Nord, la moitié de la savane tropicale et 20 % de la forêt amazonienne sont à présent dominées par l'homme. Qui ne leur veut guère du bien. Toutes ces immenses modifications auront, bien entendu, un effet sur les échanges planétaires, et l'économie actuelle subira un bouleversement inévitable. Pendant ce temps-là, tout va bien, Donald Trump s'en fout, il croit l'Amérique invulnérable et se préoccupe de son énorme mur à construire entre le Mexique et les États-Unis, tandis que Bolsonaro, au Brésil, s'affaire à chasser les Indiens et exploiter l'Amazonie. On peut dire qu'on a de la veine, rien qu'avec ces deux-là.

Pas de mieux en Europe et en Asie centrale, où 42 % des animaux terrestres et des plantes ont décliné au cours des dix dernières années (et Dieu sait si Ils *savaient*, depuis dix ans !), idem pour 71 % des poissons et 60 % des amphibiens [42]. La première cause de cette hécatombe réside dans *l'intensification de l'agriculture* (je mets cela en italique, c'est essentiel) et de l'exploitation forestière, et dans l'usage excessif de pesticides, engrais, etc. Résultat : la région consomme plus de ressources naturelles renouvelables qu'elle n'en produit, l'obligeant à en importer massivement depuis d'autres zones du monde [43].

Ces rapports confirment que la Terre est en train de subir sa sixième extinction de masse : selon les scientifiques, les disparitions d'espèces ont été multipliées par 100 depuis 1900, un rythme sans équivalent depuis l'extinction des dinosaures il y a 66 millions d'années (notons au passage que le Japon vient de relancer la chasse à la baleine[44], là aussi, on dit bravo).

Voilà ce que nous sommes arrivés à faire, nous, les hommes. À nous précipiter dans l'abîme, tout seuls comme des grands. Nous, les yeux fermés, l'esprit abruti et désinformé, Eux, les yeux ouverts, mais pathologiquement impuissants, otages de l'Argent et de la Croissance et advienne que pourra. La colère me reprend mais je ne vais pas le dire ou bien mon Censeur va me biper et l'on va perdre du temps.

Les scientifiques veulent croire qu'il est encore possible d'agir pour enrayer ce déclin. Ils appellent pêle-mêle à développer les aires protégées, à restaurer les écosystèmes dégradés (notamment les forêts), à limiter les subventions à l'agriculture et à l'exploitation forestière intensives, à intégrer la protection de la biodiversité dans toutes les politiques publiques, à sensibiliser davantage le grand public (ils ont raison, il serait grand temps !) ou encore à s'efforcer de conserver ce qui existe encore[45]. Le feront-Ils ?

Vous êtes déprimés, hébétés ? Moi aussi. C'est normal. Mais attendez, espérez, ce livre n'est pas fini. Et je vais le répéter et le répéter encore : *Nous avons des choses à faire, des choses primordiales.* Je ne vous parle pas seulement d'éviter les contenants plastique, mais d'agir *directement* sur le réchauffement climatique et la pollution, en frappant au cœur les lobbies industriels *qui en sont la cause*. Nous avons, Nous et Nous seuls, les ignorés, les sans-grades, nous, les Gens, beaucoup d'armes entre les mains, et j'ai vif espoir que, *agissant tous ensemble*, nous les utilisions sans plus tarder. Et si l'on commence, on peut rêver que l'exemple se répande à travers l'Europe et la Terre entière. Mais il faut aller vite, très vite, ainsi que l'a déclaré l'ex-ministre de l'Écologie français, Nicolas Hulot, après sa démission. (Il a d'ailleurs récemment dénoncé « l'action des lobbies qui *entrave* la mise en place de véritables politiques écologiques, pourtant cruciales à la préservation de notre planète [46] ». Et il était bien placé pour le savoir. Voyez que je ne vous raconte pas des âneries). Nicolas Hulot a poursuivi : « Nous assistons à la plus grande tragédie de l'humanité. Comme le disait Martin Luther King à propos de la cause des Noirs : "On est condamnés à agir ensemble ou à tous mourir comme des idiots." Edgar Morin disait : "Puisqu'on est tous foutus, soyons frères [47]." » Des phrases parfaites, qui mettent en évidence notre absolu devoir de solidarité planétaire. On pourrait dire aussi : "*Puisqu'on ne veut pas être foutus, soyons frères.*" »

Je dois vous donner quelques chiffres très instructifs sur les émissions des gaz à effet de serre dans le monde, par secteur, tirés du dernier rapport du GIEC d'octobre 2018 (qui rédige des rapports aux données incontestables à destination des COP) : en tête l'industrie avec une part de 32 % suivie, vous n'allez pas le croire, par l'élevage, l'agriculture et la déforestation qu'elle entraîne avec 25 %, puis par le bâtiment avec 18,5 % (construction, entretien, chauffage), le transport avec 14 %, les autres énergies pour 9,6 %, et voilà pour l'essentiel [48]. Le réchauffement climatique étant intégralement dû à l'activité humaine, eh bien, allons-y sans tarder, enfonçons-nous dans ces gaz immondes.

On cite toujours le CO_2, issu de la combustion des énergies fossiles (pétrole, charbon, gaz) mais aussi de celle du bois. Alors celui-là, on le connaît par cœur, tant on en parle, au point qu'il a fini par nous devenir familier, un familier auquel on prête attention bien sûr, mais presque comme à un vieux compagnon de route. Erreur ! Il est responsable de 70 % des émissions de gaz à effet de serre ! Les pays les plus émetteurs sont, loin devant les autres, la Chine, suivie des USA, de l'Inde, de la Russie, du Japon et de l'Allemagne [49].

Mais il n'est pas le seul, comme on le croyait ! Et nous voilà face au protoxyde d'azote. Je dois vous avouer que je ne le connaissais pas. C'est dire, quand même, la très grande puissance de désinformation dans laquelle nous avons été si bien maintenus. Il n'existe pas de petit nom qui serait moins rebutant que « protoxyde d'azote », ce qui nous permettrait de nous familiariser un peu. Si on l'appelait le « protoxo » ? Allez, aussitôt dit, aussitôt adopté. Mais gare à lui ! Il émet 16 % des gaz à effet de serre et, voyez comme on y revient, il provient pour deux tiers ou les trois quarts des *activités agricoles et d'élevage industrielles* (engrais azoté en excès, fumier, lisier, résidus de récolte), de produits chimiques comme l'acide nitrique, et des émissions des voitures [50] ; ce protoxo produit en outre de l'ammoniac, issu à 94 % du même secteur élevage-agriculture, cause d'acidification et émetteur de particules fines. On le connaît mal, on ne nous en parle pas, mais son pouvoir réchauffant est 300 fois plus important que celui du CO_2, ce n'est pas rien, et sa durée de séjour dans l'atmosphère est de 120 ans. En plus de réchauffer la Terre, *il est devenu l'ennemi n° 1 de la couche d'ozone.* Les pays les plus émetteurs de protoxo étaient en 2015 la Chine, les États-Unis, l'Inde, le Brésil[51]. Les rizières à elles seules émettent autant de protoxo que 200 centrales à charbon car la pratique de les immerger puis de les assécher de façon intermittente dope leurs émissions. À cela, vous me connaissez, vite, proposons une action possible : limiter le niveau de l'eau à environ cinq à sept centimètres au-dessous ou bien au-dessus du niveau du sol dans les rizières. Ce qui pourrait aussi réduire les émissions de méthane, ah, celui-là, on va en parler, vous le connaissez.

Le riz est cause d'un autre grave ennui : il absorbe aisément l'arsenic. Depuis 30 ans, on a installé des puits artésiens peu profonds pour l'irriguer, qui captent l'eau de nappes contaminées ; il y en a donc dans le riz même. Au Bangladesh, 1 million de kilos d'arsenic s'ajoute chaque année aux sols cultivés du pays ! Tournons-nous aussitôt vers une action possible : repiquer des pousses de riz sur des lits surélevés, à une quinzaine de centimètres au-dessus du sol[52].

L'idéal serait bien sûr de réduire l'étendue des rizières, mais le riz est l'aliment de base de la moitié des habitants de la planète[53]. Alors comment faire ? Au moins, dans les pays qui n'en dépendent pas, le mieux paraît d'en limiter au mieux notre consommation.

Et avec ces rizières, voilà qu'arrive ce fameux gaz méthane, bien connu en raison des nombreuses blagues qu'il génère sur les « pets de vache ». Il est bon de blaguer, et il faut absolument continuer à blaguer, mais il faut bien dire aussi que ce méthane n'a rien de marrant. Il est surtout dû à l'élevage (et voilà, une fois de plus), à l'extraction et à la combustion des énergies fossiles ainsi qu'aux rizières, et son pouvoir est 25 fois plus réchauffant que celui du CO_2 ! Il est également très nocif pour la couche d'ozone. Sa durée de séjour dans l'atmosphère est heureusement beaucoup plus courte, d'une douzaine d'années environ (disons, et je n'insiste pas au risque de nous endormir, que 1 kilo de méthane vaut 6 à 7 fois 1 kilo de CO_2 [54]). Et cette saleté de gaz est responsable de 13 % des émissions à effet de serre [55] [56]. La moitié de ses émissions provient d'Amérique du sud tropicale (l'élevage, toujours ce sacré élevage industriel et l'agriculture qui lui est liée), d'Asie du sud-est et de Chine [57]. C'est là qu'on voit qu'il est moins marrant qu'un pet de vache. Illico je me précipite sur les actions possibles, que j'ai autant besoin de connaître que vous. Vous allez me dire : et comment peut-on empêcher une vache d'avoir des flatulences ? Très bonne question ! Ne vous inquiétez pas, je vais y venir, et très fort, faites-moi confiance.

Action ? La méthanisation dans des digesteurs, qui atténueraient en plus la production d'engrais azoté [58]. La méthanisation est un processus naturel qui permet de valoriser de la matière organique pour produire du biogaz. Ouf, on respire un peu mieux (bien que certains usages de ce « biogaz » m'inquiètent, on verra cela plus loin). En plus, les matières organiques incorporées dans le méthaniseur sont transformées en fertilisant désodorisé (!) proche du compost et directement épandable sur les cultures [59].

Une autre action pour cette saleté de méthane (vous voyez que j'ai plus d'un tour dans mon sac. Mais non, je me vante ! Ce sont les tours des chercheurs !), c'est de modifier l'alimentation du bétail, pour réduire ses pets et autres éructations, poliment nommés la « fermentation entérique ». Soit par exemple par un composé d'ail et d'écorces d'orange [60], qui devait être mis sur le marché en 2018. Je ne sais pas ce qu'il en est aujourd'hui. Soit en ajoutant des graines de lin à leur nourriture. Soit encore par un inhibiteur de l'enzyme responsable de la production de méthane dans l'estomac (ne m'en demandez pas plus). Tout cela permettrait de réduire de 37 % leurs émissions, ce qui est déjà quelque chose [61]. Indispensable même car la production de méthane issu de la rumination est trois fois plus élevée que celle des rizières !

Mais la véritable action décisive serait de réduire notre folle consommation de viande, et de cela je veux absolument vous parler, même si cela nous attriste quelque peu, ou beaucoup. J'y arrive dans quelques pages.

Malheureusement pour vous, pour moi et pour la Terre (avançons tous ensemble), il existe aussi une catégorie de gaz très pernicieux, qui m'étaient également inconnus et portent le doux nom de « gaz fluorés », je vous en ai brièvement parlé. Vous les connaissiez, vous, ces terribles ennemis cachés ? Pour ceux qui veulent à tout prix en savoir plus (?), il s'agit des hydrofluorocarbures (HFC), à durée de séjour assez courte (n'oubliez pas : attention à ces durées de séjour…), et des perfluorocarbures (PFC), dont la durée de séjour est de milliers d'années ! Mais respirons une nouvelle fois un peu, leurs émissions diminuent depuis 1990. Et pour satisfaire votre insatiable curiosité, j'ajoute dans notre panier l'hexafluorure de soufre (SF_6), qui peut séjourner 3 200 ans dans l'air ! On ne lui en demandait pas tant mais c'est ainsi. À eux trois, ils sont responsables de 2 % des émissions [62]. Vous me direz, ça va, 2 %, ce n'est pas beaucoup, pas dangereux. Attention, car leur pouvoir réchauffant est considérable ! 1 kilo de ces gaz vaut 1 300 à 23 000 fois 1 kilo de notre bon vieux CO_2 ! Discrets, d'accord, inconnus, d'accord, mais sacrément plus venimeux que les autres…

Ces gaz (allez, appelons-les « fluos ») ont été créés par l'homme (là encore : bravo). Et ils sont dus aux équipements du froid – on ne s'en doutait pas en regardant notre réfrigérateur coutumier, ou votre climatisateur (je dis « votre » car je n'en ai pas), ni en voyant passer des camions frigorifiques ou notre boucher aller dans sa chambre froide. Eh bien si. Très sale nouvelle. Mais ils servent aussi aux mousses isolantes du bâtiment, et je vous épargne le reste. L'important étant qu'ils existent et qu'il faut s'en débarrasser ! Et en s'en débarrassant, selon le gouvernement américain, on s'épargnerait l'émission de 100 milliards de tonnes d'équivalents CO_2 d'ici à 2050 [63]. Mais cela, c'était *avant* l'arrivée au pouvoir de Donald Trump, une autre calamité pour l'environnement !

On n'en a pas fini, je m'en excuse auprès de vous : il y eut un autre fluo, le CFC (ou chlorofluorocarbure pour tous ces curieux si avides de termes complexes, je le sens), vous le connaissez bien en fait : c'était celui utilisé dans les aérosols. Il fut interdit en 1987 et totalement supprimé en 2009. On était contents, je m'en souviens. Et, soulagement, la couche d'ozone commençait à se reconstituer. Mais depuis 2012, elle recommence à se détériorer. Là, la Chine est montrée du doigt car elle continuerait à produire secrètement ce vieux fluo. Il est donc grand temps, puisqu'il existe des alternatives, que les Chinois (les Gens chinois) aient connaissance de la grande dangerosité de cette activité subreptice.

Je m'arrête un instant sur le fluo SF_6 car je veux vous informer de tout, et qu'il s'agit du plus puissant gaz à effet de serre jamais évalué par le GIEC. Effet 23 900 fois supérieur à celui du CO_2 (ou 22 800 selon d'autres sources) ! Doué, non ? Sachons au moins (et je vous épargne le reste, complexe) qu'il est utilisé lui aussi comme gaz isolant et moyen de refroidissement dans les composants électriques haute tension. *Normalement*, il est surveillé en permanence et ne fuit pas et sa concentration est extrêmement faible, inférieure à 0,1 % de l'effet total des gaz. Une firme australienne a mis au point un procédé de recyclage du SF_6 dit écoperformant « par cryogénisation ». […] « Le SF_6 recyclé affiche une pureté d'environ 99,99 %. […] Cette innovation contribuera à réduire les gaz fluorés à effet de serre [64]. »

Je ne peux pas vous cacher qu'il en reste un dernier, de son petit nom NF_3 (trifluorure d'azote pour ces mêmes curieux insatiables), qui agit 17 000 fois plus que le CO_2. Décidément… Et tenez-vous bien, il est non seulement utilisé dans la fabrication des panneaux solaires de nouvelle génération (mais en ce domaine, il existe aussi des actions, je vous en parlerai), mais également pour nos téléviseurs à écran plat et tous nos écrans tactiles (et pourquoi, me permets-je de suggérer, ne pas revenir aux bonnes vieilles télés à écrans convexes ?), bref en microélectronique. Tout de même, on estime que le numérique (depuis sa fabrication jusqu'à son utilisation intense) émet autant de gaz à effet de serre que l'aviation, ce qui n'est pas peu dire[65]. Et on ne le savait pas, une fois encore. On utilisait nos ordinateurs et nos smartphones comme de bons petits génies (pas moi, je n'ai pas de smartphone !), sans se douter de quoi que ce soit.

— Bip. Le lecteur se fout de savoir si vous avez ou non un smartphone. Toute allusion à votre vie personnelle est hors sujet, faites demi-tour immédiatement.

Tiens, mon Censeur s'est réveillé. Il était bien plus à son aise tant que je vous emmerdais sans relâche avec les gaz.

— Bip. « Emmerder » ne fait pas partie du vocabulaire familier mais grossier.

J'aurais préféré qu'il continue à dormir. Il n'avait même pas tiqué sur « protoxo » ou « fluo ». J'ai quand même le droit de vous dire, bon sang, que je garde précieusement mon vieux portable pour éviter que les mails ne me tombent dessus toute la journée. Bien qu'en effet, cela n'ait aucun intérêt, c'est vrai.

Or donc, comme ce marché du numérique ne cesse de monter, ce fluo NF_3 aussi, *qui augmente de 11 % par an*[66]. En attendant là encore que soit trouvée une alternative à ce gaz, on peut commencer à se dire (c'est comme le sport, il faut s'y mettre progressivement) que plusieurs télévisions pour une seule famille ne sont en rien indispensables, ni une télévision supplémentaire dans la chambre à coucher, et pas plus une tablette par personne. Idem pour les ordinateurs, point n'est besoin d'en avoir quatre chez soi, et point n'est besoin non plus de remplacer sans cesse les smartphones pour acheter le dernier prototype comme la publicité nous y presse. Et bon, comme l'électronique est assemblée en Asie, les composants d'un téléphone voyagent trois fois autour de la Terre avant d'arriver chez nous. Ce qui fait sacrément réfléchir avant de se jeter sur un nouveau modèle, vous ne trouvez pas ?

Vous redoutez la réaction de vos enfants ? Mais les jeunes, beaucoup plus alarmés qu'on ne le croit par la détérioration du Vivant, bien que tout aussi désinformés que nous, opteront plus vite que vous ne l'imaginez pour la réduction du nombre des écrans. Car ce sont eux qui vont être exposés de plein fouet aux conséquences, et ils le savent.

Puisque je vous ai suggéré quelques petites consignes – et pourtant je n'aime pas donner des consignes – du côté de la chaîne du froid (tenez le coup, nous en avons bientôt fini), n'utilisez votre climatiseur qu'en cas de chaleur excessive et réglez-le alors à 25 °C plutôt qu'à 19 °C. Quant au congélateur ou au réfrigérateur géant, supprimez-le si vous pouvez vous débrouiller sans (en même temps, c'est vrai que cela évite les allers-retours incessants pour aller faire ses courses). Tant que je suis dans le domestique, lavons notre linge et notre vaisselle à basse température pour épargner l'énergie : à 40 °C plutôt qu'à 90 °C, on économise 70 % d'énergie. C'est beaucoup !

Ainsi pouvons-nous commencer à agir, du moins à réfléchir, à présent que nous sommes enfin informés sur ces gaz très cachés, mais qui menacent pourtant notre survie. Ainsi peut déjà s'amorcer (et je vous parlerai aussi des batteries au lithium qui alimentent ordinateurs, tablettes et téléphones) la conscience que notre suréquipement électronique et domestique nous met en danger. Tout est question d'excès, et comme le disait Talleyrand, *tout ce qui est excessif est insignifiant.* On verra que beaucoup de nos problèmes proviennent de l'usage en excès.

On a tout de même bien du mal à se détendre avec ces gaz fluorés. Certes, le 1er janvier 2015 (ah, les fameuses « résolutions » du 1er janvier...), un nouveau règlement de l'UE sur les fluos est en principe entré en vigueur pour les réduire « de manière progressive », je vous l'ai dit plus haut. Je n'aime pas trop ce mot de « progressive », j'avoue que je n'ai pas confiance. Mais il est tout de même signalé que « des technologies alternatives d'efficacité équivalente et d'incidence environnementale moindre, voire nulle, existent déjà ou sont en cours de mise au point ». Quand même, espoir. Le règlement européen vise ainsi à « accélérer le déploiement de ces techniques et gaz de substitution [67] ». C'est tout de même une bonne nouvelle. Mais je parviens difficilement à trouver des résolutions récentes pour les autres parties du monde. Hormis le fait qu'en 2016 fut signé un traité mondial sur la réduction des HFC [68].

On aimerait quand même bien savoir quelles sont ces fameuses « alternatives » aux fluos qu'évoque l'Union européenne. Enfin moi, oui. Mais là, je dois dire que nous pénétrons dans un territoire où les termes techniques et la complexité s'accroissent. Greenpeace, en 2016, parle de réfrigérants comme les hydrocarbures, l'ammoniac, l'eau et l'air. On sait d'autre part que l'ADEME (Agence de l'environnement et de la maîtrise de l'énergie) a publié en 2015 une étude sur les actions alternatives à ces fluos réfrigérants. « Tous les types de fluides frigorigènes, synthétiques (HFC, HFO) [*HFO auquel s'oppose Greenpeace*] et non halogénés dits « *naturels* » (ammoniac, CO_2) peuvent être envisagés. » Remarquons tout de même, pour les propositions de Greenpeace comme pour celles de l'ADEME, que l'ammoniac et le CO_2 sont des polluants[69] ! J'ai eu accès au rapport 2016 de l'ADEME qui, je vous l'avoue, n'a guère pu m'éclairer[70]. Donc, n'étant pas savante, je m'arrête là, cela vaut mieux pour nous tous. Retenons de cette étude le fait un peu encourageant que la réduction de ces gaz est au programme et que la recherche, encore imparfaite, est bel et bien en cours.

Ajoutons aux méfaits que nous avons déjà commis sur la Terre, entraînant la pollution de l'air et le réchauffement, la désertification, le manque d'eau, la fonte des glaces de l'Arctique, de l'Antarctique et des glaciers, la fonte du permafrost, l'élévation du niveau des mers, les *monstrueux* impacts de l'élevage et de la culture des sols destinée à nourrir les bêtes (cela m'a sidérée et vous serez à votre tour sidérés), la déforestation (et singulièrement celle des indispensables grandes forêts primaires de l'Amazonie, de l'Indonésie et de la République démocratique du Congo), la perte des puits naturels de carbone, les pluies acides, la salinisation des sols, leur appauvrissement, la pollution des eaux – de source, de nappes et de mer –, la pollution des sols, les pesticides, herbicides et antifongiques, la toxicité des fruits, légumes et céréales due à ces pesticides, la toxicité des poissons chargés de métaux lourds (plomb, mercure, arsenic, strontium), l'envahissement des mers par les résidus de plastique, occasionnant la mort des poissons et des oiseaux mais infiltrant aussi nos organismes, l'épuisement du phosphore vital et de quantité d'autres matières, et j'en passe sûrement.

C'est dur, je sais, j'en subis le choc tout comme vous. Mais au fil de ce qui va suivre, nous allons continuer obstinément, tel le bœuf de labour, à passer en revue toutes les actions possibles, je vous le promets.

Puisque j'ai parlé de l'épuisement du phosphore, c'est ici que je dois vous parler d'un sujet qui nous est de même inconnu (à moi en tout cas) : l'épuisement de nos ressources non renouvelables au cours du siècle, donc certaines à très court terme. Et avant toute chose, de l'épuisement de l'eau : « Entre la moitié et les deux tiers de l'humanité devraient être en situation dite de stress hydrique en 2025, seuil d'alerte retenu par l'Organisation des Nations unies. Le risque d'une pénurie d'eau douce existe donc bel et bien [71]. » En cause, le réchauffement climatique, l'agriculture et l'élevage industriels *qui prélèvent 70 % de l'eau disponible* (!), l'industrie (environ 20 %) et la consommation domestique (10 %). Vous pensez bien que j'y reviendrai.

Quant aux matériaux et hydrocarbures, et pour se résumer, 16 d'entre eux seront épuisés entre 2021 et 2040 : en 2021 et 2022, soit dans 2 à 3 ans, l'argent (utilisé dans le nucléaire, les énergies solaires et photovoltaïques, les écrans tactiles, la purification de l'eau...) et l'antimoine, de 2023 à 2025, le chrome, l'or, le zinc (utilisé dans l'électronique), l'indium (panneaux voltaïques à couches minces, fabrication des écrans plats, entre autres, qui pourraient donc voir leur fin dans 4 à 6 ans ; on pense à y substituer du graphène[72] mais le graphène s'altère avec l'humidité), puis le néodyme (pour les aimants, particulièrement des batteries), le strontium (aimants également), entre 2028 et 2039 l'étain, le plomb, le diamant, l'hélium (aimants, écrans, imagerie médicale, circuits de refroidissement du nucléaire) et le cuivre (industrie électrique !). En 2040 ce sera le tour de l'uranium (énergie nucléaire bien sûr, vous le savez) et du cadmium, vers 2047 de l'hydrogène 3 (armes nucléaires : c'est une excellente nouvelle) et du scandium (indispensable pour renforcer l'aluminium), en 2048, du nickel (batteries des piles et ordinateurs), en 2050 du pétrole et du lithium (batteries). Entre 2052 et 2062 s'épuiseront le niobium (renforcement de l'acier des pipelines), le beryllium (réacteurs nucléaires, mais de toute façon, on n'aura plus d'uranium !), le mercure, le graphite (batteries lithium-ion), en 2064 le platine (électronique et électrique) et le manganèse, puis, attention ! : en 2072 le gaz naturel, et le fer en 2087 ! Entre 2110 et 2350, le phosphore vital (la fourchette est large… Car tout dépendra de sa surexploitation comme engrais agricole… D'autres sources parlent de 2050 à 2110), en 2120 le cobalt (avions, centrales électriques), en 2139, l'aluminium, et en 2158 le charbon : bonne nouvelle aussi, mais c'est loin[73]). Il faudra miser à fond sur des capteurs à 100 % du CO_2 que les usines à charbon continueront d'émettre, sauf à réussir, enfin, à s'en passer, et de même pour le pétrole. Quant à ce pétrole, il a atteint son pic en 2006 et son déclin irréversible a donc déjà commencé. Certes, une fois le pic passé, « il reste donc dans les sous-sols de la Terre encore la moitié du pétrole que nous avons découvert ». Mais ce pétrole, nous n'arriverons jamais à l'extraire car pour ce faire, il faut... de l'énergie, et beaucoup plus qu'auparavant. Car « il faut toujours creuser de plus en plus profond, aller de plus en plus loin en mer ». Si bien que le gain d'énergie obtenu atteindra vite ses limites par rapport à l'énergie consommée pour l'extraire. Quid, se disent les optimistes, des pétroles « non conventionnels », des sables bitumineux et des gaz et pétroles de schiste pour remplacer le conventionnel ? La réalité répond que « les entreprises de forage présentent [...] des bilans financiers désastreux ». Cette voie – calamiteuse pour l'environnement – ne sera pas viable [74].

Pardon, vraiment, pour cette si longue liste. Mais elle nous permet de comprendre que *le bouleversement de tous nos systèmes de production est inévitable dans la première partie de ce siècle* ! Le monde ne sera plus comme avant, il ne pourra pas l'être. Dans 7 ans, l'électronique se trouvera en grande difficulté, dans 21 ans, ce sera le tour des aimants (batteries des énergies renouvelables), de l'imagerie médicale (le reste de l'hélium sera privilégié pour elle et de nouveaux procédés réduisent de beaucoup les besoins des machines), de l'industrie électrique et du nucléaire, qui prendra fin. Avec l'épuisement du fer en 2087, il deviendra alors impossible de construire, entre autres des voitures, quelles qu'elles soient !

Il est essentiel de conserver ces données en tête à mesure que vous lirez ce livre pour prendre pleinement conscience de l'obligation où nous sommes de développer le renouvelable (mais sans batteries de stockage à aimants ni lithium...).

Face à cette avalanche, je tâtonne à travers les sujets en me demandant : mais par quoi puis-je donc commencer ?

Alerte, mon Censeur me coupe :

— Bip. On n'a que faire de vos états d'âme et de vos difficultés. Faites demi-tour immédiatement et avancez.
— Très bien, puisque vous le prenez comme ça.

Et si je débutais, après le méthane et le protoxo, par le captage du CO_2, les techniques à bannir absolument et les innovations encourageantes ?

Le sujet n'est pas simple, tentons le coup. C'est assez assommant, je vous en préviens, mais fondamental, on ne peut pas faire l'impasse.

Il faut avant tout savoir que, parmi toutes les actions proposées pour ôter ce foutu CO_2, le GIEC n'approuve pas (et moi non plus, mais alors pas du tout) les idées de captages qui *manipuleraient le climat*, ce qu'on nomme la « géo-ingénierie », et surtout pas les techniques qui veulent agir sur les rayons solaires dans l'atmosphère (de leur petit nom « SRM »). Ces hallucinants projets SRM envisagent d'envoyer dans l'atmosphère par ballon-sonde des particules réfléchissantes qui renverraient loin de nous une partie du rayonnement solaire ! Et le tour serait joué ! Cela sans qu'on connaisse *du tout* les conséquences de cette modification des équilibres dans l'espace ! À proscrire donc absolument – je ne sais pas ce qu'il vous en semble mais c'est plutôt terrifiant, non ? Ce sont les préférences politiques et non la nécessité écologique qui expliquent l'enthousiasme pour les techniques de géo-ingénierie[75]. Hop, on renvoie notre CO_2 vers les étoiles et on l'oublie : geste de fou.

Parmi ces techniques, on propose aussi, tant qu'on y est, de déverser du fer dans les océans pauvres en biomasse pour stimuler leur pompe biologique à carbone, ce qui – je vous fais grâce des étapes du processus chimique – permettrait de sédimenter du CO_2 au fond des mers[76]. Mais là encore, les effets de cette « brillante idée » sur l'environnement sont inconnus, sauf le fait qu'elle peut créer une *neurotoxine mortelle*[77]. Formidable. La communauté internationale a donc interdit ce type d'intervention en 2008 (ouf, quand même).

Une variante consisterait à tapisser le fond des océans de calcaire ou de chaux pour réduire leur acidification. Ils pourraient alors continuer à capturer des quantités croissantes de CO_2 et éviter la perturbation globale de l'écosystème marin. Mais là encore, cela signifie de nouvelles modifications dans les équilibres chimiques et biologiques aux conséquences insoupçonnées[78] ! Donc à proscrire aussi, on oublie.

Une technique de captage par géo-ingénierie paraît malgré tout avoir l'approbation du GIEC : elle consisterait à récupérer le CO_2 issu d'installations fixes émettrices, comme les centrales à charbon, pour le réinjecter en couche terrestre profonde[79]. Bien, pourquoi pas ? Encore faut-il le capter, n'est-ce pas ?

Et comment ? Les « membranes de filtration » mises au point ne sont guère efficaces et leur prix est élevé. Mais très intéressante est en revanche l'innovation d'une équipe de chercheurs d'Albuquerque qui a mis au point une membrane ultrafine percée de nanopores, eux-mêmes emplis d'une eau contenant une enzyme biologique (ne m'en demandez pas plus !). Cette enzyme *transforme le CO_2 en ion bicarbonate.* Bilan du système : *90 % du CO_2 émis pourra être stocké.* Je dois avouer que cela m'épate. Cette technique ne coûterait que 40 dollars par tonne de CO_2 récupérée [80]. Cette membrane pourrait être appliquée au méthane, transformant ce gaz en méthanol.

Autre action innovante, conçue par deux étudiants indiens (ils bossent drôlement les jeunes, hein ? J'ai toujours espéré en eux et j'ai bien raison) à destination des petites entreprises pour récupérer leurs émissions de CO_2 à moindre coût : un solvant qui coûterait 30 dollars pour une tonne de CO_2, ensuite recyclé, là aussi, en bicarbonate de soude. Et voilà le travail. Leur entreprise (qui mérite qu'on cite son nom : « Carbon Clean Actions Limited ») a installé son procédé chez son premier client, une centrale à charbon en Inde, *devenue la première à récupérer 100 % de ses émissions* (soit 60 000 tonnes par an). L'entreprise estime qu'elle pourra réduire de 5 à 10 % les émissions mondiales. C'est peu mais ils sont sur la bonne voie [81]. Qu'est-ce qu'on attend pour développer cette technique et en équiper toutes les petites entreprises ?

Le système « Direct Air Capture », très étonnant, aspire le CO_2 directement dans l'atmosphère. Une initiative assez incroyable. L'entreprise canadienne Carbon Engineering explique que leur technique « absorbe le CO_2 de la même manière que les arbres, mais peut en capturer des centaines de fois plus sur une surface équivalente ». Énorme, non ? L'entreprise a pour but d'aspirer des quantités de CO_2 à l'échelle industrielle, afin de le stocker sous terre ou de le synthétiser en carburants propres (0 % d'émissions, combiné à l'hydrogène) et abordables. Le système fonctionne grâce à des ventilateurs géants qui aspirent l'air et le mettent en contact avec une action aqueuse qui capte et emprisonne le CO_2. L'entreprise a lancé sa première usine en 2017, elle espère dans l'avenir pouvoir capturer 1 million de tonnes de CO_2 par an [82]. Mais il faudrait en construire des centaines de milliers si l'on voulait évacuer le CO_2 que nous produisons chaque année [83]... On aimerait aussi connaître l'empreinte carbone de la construction de ces usines et des ventilateurs, et savoir avec quelle énergie ils fonctionneraient.

Une autre invention encore vise à améliorer le stockage du CO_2 sous terre. Les procédés de stockage actuels présentent un gros inconvénient : le gaz peut s'échapper dans l'atmosphère. Mauvais, cela. L'idée du projet « Carbfix » est de capturer ces gaz, de les dissoudre dans l'eau puis de les injecter dans le basalte à plus de 400 mètres de profondeur. Le CO_2 se transforme alors en carbonate solide, disons en pierre en quelque sorte. La méthode Carbfix peut être utilisée dans les centrales à charbon, si elles sont situées dans un endroit où il y a beaucoup de basalte, une ressource largement disponible sur la planète [84].

Je trouve cela assez réconfortant, mais nous n'en sommes qu'au début et j'ai bon espoir que tout cela s'amplifie. Vous me trouvez trop optimiste ? Peut-être, mais quand je vois tant d'actions à l'essai, cela me détend.

En France, Engie de son côté veut s'accrocher à ses quatre dernières usines à charbon en en modifiant le fonctionnement : en substituant peu à peu des déchets « verts » au charbon et en captant le CO_2 résiduel émis par les centrales. Les essais réalisés à Cordemais (Pays de Loire) ont permis de faire fonctionner la centrale avec 80 % de « pellets » produits sur place – des granulés de bois fabriqués à partir la récupération de la sciure, des copeaux, des chutes de la filière bois, des écorces, etc.) – et 20 % de charbon, et même avec un taux de pellets pouvant atteindre 87 %. Je me demande comme vous ce qu'il en est du rejet de CO_2 dû à la combustion de ces pellets. Car bien sûr qu'elle en rejette. Mais toutes les sources indiquent que le bilan serait « neutre » : « Les pellets se consument de manière neutre en CO_2. Si la combustion des pellets dégage effectivement du CO_2, il est préalablement compensé par les arbres qui l'ont absorbé au cours de leur croissance, avant de le transformer en oxygène. Il n'y a donc pas d'impact supplémentaire sur l'air et le climat [85]. » Je reste un peu perplexe, et l'on aimerait savoir quelle est l'émission de CO_2 d'une telle combustion. Je reviendrai plus tard sur ces pellets.

On trouve d'autres initiatives surprenantes : à Xi'an, en Chine, il existe depuis 2016 une tour de 60 mètres (100 mètres selon d'autres sources) fonctionnant à l'énergie solaire et qui, par filtrages successifs, absorbe 19 % des particules fines de moins de 2,5 micromètres de diamètre. Une telle tour peut filtrer jusqu'à 10 millions de m^3 d'air par jour sur une surface de 10 km^2 autour d'elle [86]. Mais là aussi, on se demande quelle est l'empreinte carbone de la construction de la tour.

Même question pour la construction, à Rotterdam, d'un modèle pionnier de 7 mètres de haut installé en

2015, la « Smog Free Tower », basé sur l'ionisation de l'air. Fonctionnant elle aussi à l'énergie solaire, la tour permet de nettoyer 30 000 m^3 d'air par heure, en captant 50 % à 70 % de particules fines de deux types (je vous fais grâce de leurs noms). Des premières installations similaires ont été implantées en Pologne (Cracovie) et en Chine (Pékin, Shanghai, Tianjin). Prochains pays en vue : la Colombie et le Mexique [87].

Le problème est que ces tours ne nettoient l'air que dans leur voisinage. C'est pourquoi un cabinet basé à Dubaï vient de présenter un projet de tours dépolluantes de 100 mètres de haut (le « Smog Project ») qui pourraient couvrir des villes entières en Inde d'ici 2020 [88]. Alimentées par des piles à hydrogène et des panneaux solaires, le carbone récupéré pourrait « être utilisé pour produire du graphène, du béton, voire de l'encre [89] ».

Puisque nous sommes plongés dans ces nuages de gaz qui nous asphyxient, reste à nous tourner vers le monde du transport, grand émetteur de CO_2, et à examiner les actions proposées pour les batteries des voitures électriques, dont l'avenir est encore chancelant. Avant toute chose, il est nécessaire de dire que nous devons réduire au maximum l'usage de nos voitures, ce qui est devenu très problématique dans des sociétés où tout s'est constitué autour d'elles : disparition des commerces de proximité dans les villages – qu'il faudrait obligatoirement réinsérer, quitte à ce que la grande distribution les subventionne –, disparition des lignes ferroviaires desservant les bourgs et jusqu'aux plus petits villages – qu'il serait indispensable de remettre en fonction –, stations de RER souvent éloignées des lieux de travail, manque de bus ou de cars reliant stations de train ou de TER aux bourgs et aux villages, absence de navettes nous rapprochant de nos lieux de travail. Bref, tout nous *oblige*, qu'on le veuille ou non, à utiliser nos voitures polluantes, ne serait-ce qu'à la campagne pour aller faire ses courses.

Mais d'une manière générale, on *désire* utiliser nos voitures, tant nous en sommes devenus dépendants, au point qu'en ville, pour un trajet qui se ferait en un temps assuré par les transports en commun, beaucoup d'entre nous prennent plutôt leur voiture, quitte à dépenser plus et devoir rentrer au soir dans les embouteillages. Par habitude, par désir de tranquillité, par flemme aussi. Ainsi les travailleurs sédentaires passent-ils leur journée assis, quand les transports en commun obligent, en effet, à un minimum de marche, de mouvement, voire à l'effort modique de grimper et descendre quelques escaliers, modique mais remarquez bienvenu vu la nécessité de se mouvoir un peu chaque jour.

Je comprends ô combien tous ceux qui partent dans leur maison de campagne tous les week-ends pour aller respirer hors la ville. S'ils le peuvent, s'ils en ont le courage, il serait bien de limiter ces allers-retours hebdomadaires, dont on voit l'effet dans les énormes embouteillages des vendredis et dimanches soir. Bien aussi de prendre le train plutôt que la voiture ou l'avion : pour un trajet similaire, un avion consomme six fois plus d'énergie que le train. En France, 40 % des voyages en avion s'effectuent sur des distances inférieures à 800 kilomètres pour lesquels les lignes de TGV sont plus pratiques. (À la SNCF d'abaisser les tarifs des

TGV pour qu'ils deviennent aussi compétitifs que les voyages en avion *low cost* !) Pour effectuer un trajet Paris-Marseille, on émettra 10 kilos de CO_2 par le train, 115 kilos par avion et 136 kilos si on voyage seul en voiture. En avion, essayons de voyager léger : selon un document de l'ONU, « le monde pourrait économiser 2 millions de tonnes de CO_2 par an si chaque passager réduisait le poids de ses bagages en dessous de 20 kilos[90] ». Privilégions aussi les vols sans escale, car le décollage est très émetteur de CO_2.

Aussi, allons-y, prenons notre courage à deux mains et, pensant ardemment aux émissions de gaz à effet de serre, obligeons-nous à emprunter les transports en commun et à nous servir de nos jambes, à affronter la promiscuité dans ces transports, qui peut énerver mais qui stimule, même contre notre gré, notre curiosité.

Reste bien sûr l'attente des véhicules électriques qui régleraient, mais en partie seulement, la question de l'émission du CO_2.

Les scientifiques ont analysé le bilan CO_2 complet des véhicules électriques en Europe. D'ici 2030, ces véhicules émettront 66 % de CO_2 de moins qu'une voiture diesel et, d'ici 2050, 80 % de CO_2 de moins. Le bilan environnemental sera donc positif, mais il ne sera vraiment pas neutre[91]..., alors qu'on croit ces véhicules tout à fait propres. En effet, la majorité des impacts environnementaux d'un véhicule électrique intervient lors de la phase de sa fabrication, qui demande beaucoup d'électricité. Tout dépend donc de la source de cette électricité : en Pologne, l'électricité est produite à 80 % par des centrales à charbon. Dans ce cas-là, une voiture électrique n'émet que 25 % de CO_2 de moins qu'un véhicule diesel[92]. La situation est aussi critique en Chine, premier marché de la voiture électrique dans le monde, où l'électricité est issue à 73 % d'usines à charbon. En France, la situation est encore différente. L'électricité provient à 77 % du nucléaire (qui entamera sa chute dans 20 ans), si bien qu'une voiture électrique émet 80 % de CO_2 de moins qu'une voiture diesel.

Et même sans pot d'échappement, les véhicules électriques restent comme les autres et émettent des particules fines lorsqu'elles roulent. Émission due à l'abrasion des pneus sur la route et aux plaquettes de frein. Chaque fois que nous appuyons sur la pédale de frein, les frottements entre les plaquettes et le disque rejettent une fine poussière (on imagine sans mal l'impact des embouteillages quotidiens...). Cette poussière est surtout constituée de noir de carbone et d'éléments diversement toxiques – cuivre, cadmium, baryum, nickel, chrome, manganèse, plomb, zinc. Cette pollution n'est pas anecdotique : ce phénomène est responsable de 41 % des émissions des particules fines PM10 du secteur du transport routier en 2012[93], soit 11 % des émissions totales en Île-de-France[94]. C'est beaucoup ! Je dois dire que je ne m'en doutais pas du tout, et vous ?

Bon signe, l'industrie du pneu s'est rapidement penchée sur la question. Les ingénieurs de Michelin travaillent sur *des pneus dont la bande de roulement serait biodégradable*[95]. Très bien, et attendons de voir ce que cela va donner.

Quant à la question des freins, voilà où nous en sommes : un dispositif destiné aux poids lourds a été présenté en 2017[96] tandis qu'une société française[97] a développé, en collaboration avec de grands constructeurs, un système baptisé « Tamic », une mini-turbine aspirante qui collecte les particules de freins. Des tests en conditions réelles ont débuté en septembre dernier sur une Renault Zoé. On s'en doute, il faut régulièrement changer les filtres en même temps que les plaquettes[98]. Le Tamic pourrait être monté sur des véhicules en série d'ici 2020-2021 et plusieurs constructeurs s'y intéressent déjà. Cette technologie diminue de 82 % les particules émises par le freinage et serait applicable aux rames de métro et aux tramways. La SNCF y pense de même pour en équiper ses trains de banlieue[99]. (Et c'est là qu'on découvre que métros, trams et trains dégagent aussi des particules…). Tout ceci concerne la France, car les données françaises sont pour moi beaucoup plus accessibles, mais on se doute bien que de telles actions sont aussi en cours dans tous les autres pays développés, la course à la voiture électrique propre étant décisive au plan économique.

Pour résumer, et selon l'ONG ICCT[100] : « Globalement, les véhicules électriques émettent bien moins de gaz à effet de serre sur leur durée de vie qu'une voiture thermique en Europe, même lorsque l'on prend en compte la production de batteries, très gourmande en énergie. Un véhicule électrique moyen en Europe produit 50 % de gaz à effet de serre en moins sur 150 000 kilomètres, mais ce chiffre peut varier entre 28 et 72 %, selon la façon de produire l'électricité (charbon, gaz, nucléaire…). En comparant les véhicules thermiques les plus efficients, la différence d'émissions de gaz à effet de serre en faveur de l'électrique est toujours de 29 %[101]. »

Bien sûr, on est déçus, tout prêts que nous étions à nous jeter sur les voitures électriques. Attendons de voir si la fabrication de ces voitures, le captage du CO_2 en sortie d'usine, la modification des pneus et des freins amélioreront leur score. Mais à l'heure actuelle, ce mode de transport ne nous permet pas d'atteindre l'objectif zéro carbone.

À signaler que les véhicules électriques sont pointés du doigt pour leurs besoins en aimants permanents (dans les moteurs) fabriqués à partir de terres rares. Or, les constructeurs de véhicules électriques peuvent et veulent se passer de terres rares, et remplacer les aimants par une bobine d'excitation. Des modèles comme la Renault Zoé (la plus vendue en Europe) ou les Tesla (les plus vendues en Amérique) utilisent cette technologie et leur moteur ne contient donc pas de terres rares [102].

L'autonomie moyenne des voitures électriques commercialisées actuellement est de 150 à 400 kilomètres [103]. Les longs trajets sont donc toujours problématiques, et notamment en raison du manque d'infrastructures de recharge rapide [104]. Sans compter l'impact environnemental des batteries, qui n'a pas encore trouvé sa solution. Et sans compter encore leur coût, qui reste très élevé malgré l'aide très modérée de l'État français (environ 6 000 euros), et qui varie de 23 200 euros à 86 300 euros (!). Dans cette large fourchette bien sûr, existent de grandes différences de volume, de temps d'autonomie, de temps de recharge [105].

Allons-y avec les batteries actuelles des voitures électriques, vous allez voir que l'affaire n'est pas simple : elles sont toutes composées avec du lithium, un métal rare dont l'extraction est très polluante, émettant du CO_2 et qui consomme des quantités d'eau astronomiques, eau qui pose un problème crucial, on reverra cela en détail. (Il est évident que l'idée de manquer d'eau nous alarme bien plus que celle de se passer de voiture.) Et ce lithium est déjà consommé pour les batteries des téléphones, des ordinateurs, et pour les batteries de stockage des énergies renouvelables, toutes technologies en voie de très grande expansion.

Il existe une controverse sur la date d'épuisement du lithium. Pour certains, on dispose au mieux de 16 ans de réserve, ou même de 10 ans, à partir du point de maturité du marché des batteries [106]. Pour d'autres, cette limite est repoussée à 2050 [107], pour d'autres encore, la découverte de nouveaux gisements, au Pérou par exemple, retarde encore cette date [108]. Ces batteries demandent aussi, entre autres éléments, du graphite, qui devrait être épuisé dans la décennie 2052-2062, et du cobalt.

L'épuisement du lithium est donc en ligne de mire. Ceci ajouté à la prédation gigantesque en eau qu'exige son extraction *nous le fait écarter des solutions viables et pérennes.*

Le recyclage de ces batteries est une autre problématique fondamentale. Les batteries n'ont pas une durée de vie infinie (en moyenne de 8 à 10 ans [109]), et sont très chères (environ 9 000 euros...). Quand elles tombent en panne, il faut les recycler pour éviter que leurs composants ne se retrouvent à polluer des décharges. Aujourd'hui en Europe, seules 5 % des batteries lithium sont recyclées et l'on est incapables de récupérer 100 % des matériaux utilisés, dont le fameux lithium ! Une raison de plus pour oublier ces batteries, qu'elles soient à électrolyte solide (afin qu'elles ne s'enflamment pas…) ou pas [110]. Ce pourquoi je saute hardiment par-dessus les batteries au graphène, car elles fonctionnent elles aussi avec du lithium (en outre, les propriétés du graphène s'altèrent avec l'humidité, je l'ai dit plus haut, à partir de 22 % de cette humidité [111]…).

Vous vous ennuyez ? C'est normal. Quoi de plus assommant que ces histoires de batteries ? Mais ne me laissez pas tomber maintenant car, je vous l'ai dit, nous avons quantité de choses à faire !

Je vais laisser également de côté la voiture à hydrogène, dont il est beaucoup question. Son moteur produit de l'énergie à partir de la combustion du dihydrogène (pardon, c'est très technique et pourtant je simplifie !), un gaz explosif et hautement inflammable… Rouler en voiture à hydrogène coûte et coûtera plus cher que rouler en voiture à batterie, car il faut consommer trois fois plus d'électricité. Il faut trois fois plus d'éoliennes et de panneaux solaires pour alimenter un parc de voitures à hydrogène par rapport à un parc de voitures à batterie [112]. La voiture hydrogène à pile à combustible produit de l'électricité mais cet hydrogène est issu de l'eau de mer hydrolysée (procédé qui exige de l'électricité), ou… du pétrole ou de l'agrocarburant. Elle fonctionne aussi au méthanol qui rejette du CO_2, voir du monoxyde de carbone très toxique et utilise du platine rare et cher (il devrait être épuisé vers 2064 [113]).

Bien intéressantes sont en revanche les batteries sodium-ion, qui remplacent le lithium par du sodium. Freinées par leurs capacités en énergie, elles ont récemment progressé : des chercheurs de l'université de Birmingham sont parvenus à mettre au point une batterie au sodium-ion plus performante, moins coûteuse et plus respectueuse de l'environnement. En introduisant du phosphore, les chercheurs ont constaté que non seulement la batterie tenait la charge mais contenait une quantité d'énergie 7 fois supérieure à une batterie au lithium-ion, pour le même poids. La batterie sodium-ion pourrait entrer en production d'ici trois ou quatre ans [114].

Côté sodium, les ressources ne manquent pas.

Mais côté phosphore, le problème est vital. Je fais ici un détour par le phosphore *car sans lui, la vie n'est pas possible*. C'est un élément fondamental du vivant, indispensable aux écosystèmes naturels : les phosphates sont solubilisés par l'altération des roches par l'eau de pluie. Les végétaux les prélèvent sous cette forme et les utilisent pour produire de la matière organique. Le phosphore est ensuite transféré le long de la chaîne alimentaire par la consommation des plantes par les animaux. Il est de nouveau solubilisé grâce à la décomposition de la matière morte par les micro-organismes. Mais, on l'a vu, le phosphore n'est pas une ressource renouvelable. À l'échelle mondiale, certaines sources parlent d'épuisement dans 40 ans (voire moins) ou 90 ans au rythme d'extraction minière actuel [115], chiffres très alarmants. Son épuisement est dû à sa surexploitation comme engrais dans l'agriculture industrielle, qui utilise 90 % du phosphore extrait. Il est donc *primordial de ne plus toucher à ces gisements de phosphore*, si l'on veut sécuriser la vie sur Terre. (Et bien sûr qu'on le veut !)

On comprend sur-le-champ qu'il est urgent de réduire au maximum les engrais phosphatés synthétiques, qui sont déversés *en très grand excès* par rapport aux besoins des plantes. Si l'Europe a restreint sa consommation d'engrais phosphatés, les pays émergents d'Asie (Chine en tête) ont intensifié leur agriculture et importent de plus en plus de ces engrais synthétiques qui sont déversés sans compter. De même pour les pays d'Afrique et d'Amérique du Sud [116]. Il est impérieux de mettre un terme à ce gaspillage colossal et *mortel* en mettant fin aux pratiques de l'agriculture industrielle.

Une première action possible est d'extraire le phosphore des eaux usées des stations d'épuration, qui en sont riches, notamment grâce aux déjections humaines. On peut à présent récupérer phosphore et nitrates dans les eaux d'égout ou les boues d'épuration [117]. Des pays comme la Suisse l'ont déjà imposé. Mais quelle quantité parvient-on ainsi à récupérer ? Approfondissons encore le sujet : pour la France, le poids total moyen de phosphore émis par les excréments humains sur un an se situe approximativement aux alentours de 40 000 tonnes [118]. Nous sommes assez riches sans nous en douter, n'est-ce pas ? Mais ce n'est vraiment rien en comparaison des 158 millions de tonnes extraites chaque année des mines dans le monde (en 2009 [119]). Et malheureusement ce n'est rien non plus si l'on ne récupère que le phosphore des urines et excréments humains des habitants de l'Union européenne et des États-Unis, pays dotés de stations d'épuration : 700 000 tonnes de phosphore au total par an, qui ne peuvent certes pas rivaliser avec la gigantesque extraction minière. Tonnes auxquelles pourraient s'ajouter les farines animales, interdites pour l'alimentation des bêtes, qui contiendraient entre 60 000 et 70 000 tonnes de phosphate facilement récupérables [120].

Ces chiffres diffèrent de ceux de l'UNESCO et de l'ONU-Eau qui estiment que « 22 % de la demande mondiale en phosphore pourrait être satisfaite grâce au traitement des urines et des excréments humains [121] ». À l'échelle mondiale, peut-être, mais tous les pays ne sont pas équipés d'un système de récupération totale des eaux usées, très loin de là.

Et pourquoi ne parle-t-on pas de la récupération du phosphore dans les excréments du bétail avant de les mêler aux effluents d'élevage, et d'autres nutriments qui limiteraient la pollution des eaux ? Il serait facile *d'ordonner* une récupération – très aisée – de ces excréments (dont l'odeur n'est pas désagréable par ailleurs !), où le phosphore se trouve en très grande quantité. Du côté des chevaux déjà (et je parlais déjà de ce crottin dans mon petit texte d'il y a dix ans...), la masse de phosphore par étalon et par an atteint 19 kilos. À comparer avec nos propres 600 grammes par an, environ... Quant aux bovins, toujours par tête d'animal et par an, on compte 20 kilos (hors vaches laitières) et 35 kilos par vache laitière [122]. Sachant que le monde compte 1,4 milliard de bovins [123] (nombre qui *devra diminuer impérativement*), dont environ 27 % de vaches laitières, imaginez la grande quantité de phosphore (et d'azote et de biogaz) qui pourrait être récupérée : 15 millions de tonnes de phosphore (sous forme de pentoxyde de phosphore), rien que pour les bovins [124] ! Auxquels on peut ajouter les excréments des chevaux, des ovins, des caprins, etc. Ce n'était certes pas pour rien que nos ancêtres ramassaient soigneusement les crottins et bouses pour amender les sols et brûler une partie des éléments asséchés. Une pratique à laquelle il nous faudra nécessairement revenir. Mais le poids de phosphore ainsi récolté, si l'on y parvient (encore faudra-t-il rassembler ces déjections et les traiter), sera encore très loin de ce que l'on extrait industriellement aujourd'hui. Cette extraction devra être abaissée de 90 % au moins ou totalement interdite pour que la vie subsiste sur Terre dans 40 ou 50 ans…

Il n'y a donc pas d'autre choix que de remplacer le système agricole actuel (71 % des terres cultivées utilisent des engrais phosphatés minéraux en *grand excès*) par une culture n'utilisant que des engrais naturels, dérivés des déchets animaux (excréments animaux et humains, fumier, lisier, guano) et végétaux (compost, résidus de culture). De toute façon, l'épuisement rapide du phosphore, et plus encore à très court terme, de l'eau, rendra inopérante l'actuelle agriculture intensive et *force sera* de recourir partout à l'agriculture biologique, dont les rendements sont équivalents à ceux de l'agriculture actuelle [125]. Le monde saura-t-il à temps – dans les dix ans à venir – convertir entièrement son agriculture ? C'est, avec le réchauffement, l'enjeu majeur des années qui viennent, un enjeu de vie ou de mort. D'ores et déjà, en réduisant de 90 % notre affolante consommation de viande (et non pas de viande issue de fermes biologiques car elles auront besoin des engrais animaux) nous parviendrons à limiter l'immense étendue de ces terres inconsidérément cultivées pour nourrir ce bétail. Vous avez déjà compris que j'y reviendrai, à cette action décisive qui est entre nos mains.

Ce n'est pas parce que j'ai fait un détour déterminant par les excrétions que j'en ai oublié mon sujet : en utilisant uniquement le phosphore des déjections (surtout pas au détriment de l'agriculture biologique), la batterie sodium-ion pourrait être viable mais pas pour assurer le fonctionnement de toutes les batteries des énergies renouvelables à venir. A priori, toute utilisation de phosphore est cependant à proscrire au plus tôt.

Une dernière piste et ensuite je vous fous la paix avec les batteries : la batterie au carbone. Le produit phare de NAWA Technologies, une start-up française, est un nouveau type d'ultra-condensateur en carbone (je vous livre cette information sans m'étendre plus que cela sur son principe) avec un ensemble d'avantages remarquables par rapport aux cellules de batterie lithium-ion typiques. Son temps de charge serait 1 000 fois plus rapide que celui des autres batteries, et une voiture pourrait être rechargée en quelques secondes, et supporter un million de cycles de charges. C'est également très bon marché et simple à fabriquer.

Cela paraît trop beau pour être vrai. Le mieux est d'écouter ce qu'en dit le directeur de NAWA : « Pour moi, le rêve vient du fait que nous n'utilisons pas de lithium, de cobalt, de métaux des terres rares [...] Ces matériaux sont polluants et très compliqués à extraire [...]. Les ultra-condensateurs de NAWA n'utilisent que du carbone et de l'aluminium, notre carbone provient de sources naturelles et durables, nous n'avons pas besoin de créer des mines et quand j'ai créé NAWA, c'est ce que je voulais promouvoir, un moyen réel et durable, en construisant des batteries plus sûres et plus propres. »

Mais actuellement – et voilà que surgit encore ce sacré « mais » – cette technologie permet de rouler sur 50 à 100 kilomètres seulement. Ah. Et seul un système de batterie hybride lithium/carbone pourrait permettre de conduire plus longtemps, avec une charge partielle ultrarapide [126]. Et nous y revoilà. Au lithium. On en revient donc, de NAWA, déçus après avoir espéré, puisqu'aucune batterie au lithium ne pourra faire notre affaire.

Il est clair que du côté des batteries, nous ne sommes carrément pas encore au point (quand je vous disais que nous avons pris 40 ans de retard, tous objectifs confondus !). Reste à attendre, attendre encore que d'autres innovations apparaissent. Quant à moi, à l'esprit aussi avide de résolutions qu'impatient, l'attente, comme l'impuissance (et j'ai la vague idée que je ne suis pas capable de construire de mes mains une petite batterie idéale, ce soir dans ma salle de bains), met mes nerfs à rude épreuve.

— Bip. Vos problèmes d'impatience n'intéressent en rien le lecteur. Reculez immédiatement.

Il est réveillé, toujours aussi implacable, rien à faire pour assouplir sa tyrannie. Il doit aimer cela.

Et voitures à batteries signifient bornes de recharge assez nombreuses pour ne pas tomber en panne. Or ce secteur progresse bien lentement. Pour prendre l'exemple de la France, l'ADEME recensait en 2018 sur le territoire plus de 25 000 points de recharge accessibles au public, soit 1 point de recharge pour 5,7 véhicules, le maillage national n'étant pas homogène, avec une surreprésentation à Paris et dans les métropoles et quantité de zones blanches. (Dans ma campagne de l'Ouest, que je sillonne sur un rayon de 30 km, je n'ai jamais vu une seule borne de recharge.) Il faut bien pourtant permettre à ceux qui travaillent dans les villes mais habitent dans les zones rurales de pouvoir se déplacer proprement [127].

Multiplier les bornes de recharge est donc une nécessité. Et à cela, Nous, les Gens, ne pouvons rien, j'en suis navrée, sinon pousser le gouvernement à multiplier ces bornes au plus vite. Le gouvernement français a annoncé (en 2018) l'installation de 100 000 bornes de recharge publiques d'ici à 2022 [128]. Reste à voir si l'engagement sera tenu…

Sans insister trop longtemps, faute de quoi ce livre va vite fait vous tomber des mains, les bornes ne sont pas toujours compatibles avec tous les modèles. Mais *pourquoi* faut-il toujours nous compliquer la vie alors que l'avenir du monde est en jeu ? L'Argent, toujours. Si cette course folle pour l'Argent est incapable de s'interrompre, au moins de ralentir, cette course qui a mené notre Terre à sa perte, cette course qui persiste à dévaler la pente sans freins, nous serons bien mal barrés. Mais Nous, Nous sommes capables d'y porter des coups fatals, vous verrez cela. Et ce sera à notre tour de nous frotter les mains, je vous le garantis. Je ne vous donne qu'un exemple de cette avidité aveugle : les superchargeurs de Tesla sont… réservés aux seuls clients de cette marque américaine ! C'est responsable, cela ? C'est solidaire ? C'est une vision de l'avenir ? Bien sûr que non. Mais c'est rentable pour Tesla et cela passe avant tout.

Autre truc qui m'énerve beaucoup : pour aider les propriétaires de voitures électriques à trouver une borne avant de tomber en panne, Chargemap a mis au point une application permettant de localiser une borne de recharge. Système qui oblige tous les automobilistes à posséder un smartphone [129] ! Ou qui part de l'a priori que tout le monde en possède un, ce qui est faux, soit parce que les gens n'en veulent pas et c'est leur droit, soit parce qu'ils n'ont pas les moyens d'en acheter un, soit parce qu'ils ne savent pas s'en servir. Au lieu d'une appli, que l'État installe des panneaux sur les routes indiquant le lieu du prochain point de recharge.

Ceci pour la France, qui n'est qu'un exemple parmi d'autres, mais beaucoup de pays développés doivent se trouver dans des conditions similaires. Fin 2017, l'Agence internationale de l'énergie estimait le nombre de bornes de recharge privées à presque 3 millions dans le monde, plus 430 000 points de recharge publics en complément [130]. Ce n'est vraiment pas beaucoup et là aussi il va falloir donner un sacré coup d'accélérateur, c'est le cas de le dire.

— Bip. Pas de jeux de mots, le lecteur n'en a nul besoin.

Il est vraiment réveillé, hein ?

À présent que nous voilà bien écœurés par cet afflux de techniques, je crois judicieux d'aller faire un tour en forêt pour nous remettre un peu en selle. Car des forêts, par bonheur, il en existe encore, nous n'avons pas réussi à tout détruire. Et la conservation de ce qu'il en reste est vitale pour la survie des êtres vivants.

Les forêts couvrent une surface de 4 milliards d'hectares et séquestrent une très grande quantité de carbone.

Elles sont un véritable aspirateur à gaz carbonique et absorbent environ 3 milliards de tonnes de carbone anthropogénique par an, ce qui correspond à 30 % (ou 37 %) du CO_2 que nous installons allègrement dans notre atmosphère [131]. Actuellement, 13 millions d'hectares de forêts sont détruits par an, surtout en zone tropicale, ce qui libère 1 milliard et demi de tonnes de carbone par an [132]. La revue *Science* note fin 2017 qu'à présent, les forêts tropicales, en raison de la déforestation et de la dégradation des arbres, émettent deux fois plus de CO_2 qu'elles n'en absorbent [133]. On comprend aussitôt qu'*il est urgent, décisif, d'arrêter dès à présent la destruction des forêts tropicales primaires en Amazonie, en Indonésie et en Afrique.*

Parlons-en, de cette fondamentale Amazonie, bien connue sous le nom de « poumon vert de l'humanité », ce qui veut tout dire. Le bassin amazonien s'étend sur environ 6,5 millions de km^2 dans neuf pays d'Amérique du Sud et représente 5 % de la surface terrestre. La partie brésilienne compte à elle seule plus de 24 millions d'habitants, dont des centaines de milliers issus des peuples autochtones. Plus de la moitié des espèces animales et végétales terrestres y est concentrée, faisant du bassin amazonien le réservoir d'une biodiversité exceptionnelle. Elle joue un rôle essentiel dans *la stabilisation du climat mondial et son fleuve, l'Amazone, ravitaille un cinquième de la planète en eau douce.* C'est dire la hauteur de l'enjeu [134]. Non contente de décarboner l'atmosphère – ce qui ne semble plus être le cas –, l'Amazonie retient d'immenses masses d'eau grâce à ses fleuves ainsi qu'à ses millions d'arbres qui vont chercher l'eau sous terre via leurs racines, qui peuvent atteindre vingt mètres de profondeur [135]. Les grandes quantités d'eau qui s'évaporent de ces arbres se condensent et retombent en pluie sur le pays [136]. L'étude parue dans *Nature Climate Change* montre que les pluies fournies par l'Amazonie n'ont pas qu'un impact local mais mondial. La destruction de cette forêt augmenterait ainsi les précipitations en Russie et en Scandinavie, les faisant au contraire diminuer dans l'ouest des États-Unis, le Midwest et en Amérique centrale [137]. Une partie du Brésil pourrait aussi se retrouver en situation d'aridité.

Une nouvelle étude publiée en février 2018 dans la revue *Science Advances* indiquait que 17 % de la forêt amazonienne avait disparu ces 50 dernières années. Selon *Science Advances*, certains experts affirment que passé les 20 %, la forêt amazonienne pourrait atteindre le point de non-retour, c'est-à-dire ne plus pouvoir jouer son rôle dans les équilibres climatiques [138], or 40 à 55 % de sa superficie vont disparaître d'ici 2050 [139]. Dramatique, non ? (Attendez, ne vous laissez pas abattre, Nous pouvons y faire quelque chose et Nous le ferons.) Depuis la destitution de la présidente du Brésil, Dilma Roussef, les conservateurs ont livré la forêt amazonienne aux mains de l'agrobusiness. 8 000 km² de forêt ont été détruits en 2016, soit 29 % de plus qu'en 2015, rapporte l'Institut national sur la recherche spatiale. Et cela, sans compter la déforestation illégale, qui alourdit la note : ce serait une superficie équivalente à celle de la France qui serait partie en fumée l'année dernière. La déforestation se serait encore accrue de 14 % entre août 2017 et juillet 2018 quand le président Temer a légiféré en faveur du secteur agroalimentaire [140]. Ce « secteur agroalimentaire », je l'ai vraiment dans ma ligne de mire, soyez-en sûrs. Nous allons y venir, par trois chemins différents, et l'assiéger selon la vieille technique dite de l'encerclement. J'aurai vraiment besoin de vous, car je ne vais pas abattre le « secteur agroalimentaire » toute seule ce soir dans ma salle de bains (je ne sais pas ce que j'ai avec cette salle de bains,

— Bip. Divagation. Demi-tour immédiatement.

Pour endiguer ce mal qui démolit l'Amazonie, l'ONG Conservation International avait l'ambition de déployer le plus grand projet de reforestation jamais vu dans l'histoire. Au total, 73 millions d'arbres devaient être replantés. Ils auraient reboisé 30 000 hectares d'ici 2023, quand l'engagement de la COP21 était de reboiser 12 millions d'hectares d'ici 2030, cependant c'était déjà ça.

Oui mais ce projet c'était *avant*. Avant l'élection calamiteuse, le 28 octobre 2018, de Jair Bolsonaro. Ancien militaire d'extrême droite, raciste, homophobe, violent (« Un policier qui n'a jamais tué n'est pas un vrai policier », a-t-il déclaré, ou encore, à propos des anciens dictateurs tortionnaires du Brésil, « Ils n'ont pas assez tué »), et qui plus est climatosceptique, marchant main dans la main avec Donald Trump, bien entendu, pour qui le CO_2 n'a rien à voir avec le réchauffement de la Terre.

Bolsonaro a annoncé son intention de déboiser l'Amazonie, qui se trouve à 60 % au Brésil, *pour faire place à l'industrie agroalimentaire* : à l'élevage, dont les bêtes sont surtout destinées à l'exportation vers les États-Unis et l'Europe dévoreurs de viande, aux cultures intensives de soja et autres protéines végétales pour nourrir ce bétail, à la culture pour fournir l'huile de palme (pour les « biocarburants » entre autres). Agriculture et élevage y sont responsables de 80 % de la déforestation ! Le Brésil possède le plus grand cheptel commercial du monde (environ 211 millions de bêtes) et est le premier exportateur mondial, avec l'Inde, de bœuf et de cuir. Outre que l'exportation est très consommatrice d'énergies fossiles (et de chaînes du froid, donc de gaz fluorés), la forêt si précieuse est aussi dévastée pour y exploiter des richesses minières et du bois, sans compter l'installation de grands barrages hydrauliques obligeant des centaines de milliers de personnes à se déplacer. Les Indiens qui y habitent ? L'opinion de Bolsonaro est très claire sur ce point : « Je ne laisserai pas un millimètre carré de terre aux Indiens. » C'est sympathique, pas vrai ?

Porter atteinte à l'Amazonie serait une catastrophe pour le monde vivant tout entier. On comprend mal que l'UNESCO ou l'ONU n'ait pas aussitôt classé cette immense forêt au « Patrimoine mondial de l'humanité » afin d'éviter qu'on y touche.

Il est indispensable que les Brésiliens sachent, ainsi que nous-mêmes, que 46 % des émissions de gaz à effet de serre de leur pays sont dues à la déforestation : surcroît de CO_2 faute d'arbres pour l'absorber, machinisme agricole, protoxyde d'azote et méthane issus de l'agriculture et de l'élevage, méthane encore dégagé par les grands barrages.

Parlons plus en détail des causes de cette déforestation à l'échelle du monde, outre la prédation géante du secteur agroalimentaire. Sujet effrayant mais passionnant et qui, quand on le connaît bien, je vous en préviens, peut nous soulever de dégoût et de rage. *Figurez-vous que l'Europe est la région du monde qui, par ses importations, génère le plus de déforestation dans d'autres zones du globe.* La culture du soja et des palmiers (pour en tirer la fameuse huile de palme), à destination des pays consommateurs, est une autre cause majeure de la déforestation. En France, *le soja est le premier responsable de notre empreinte forêt.* Il est surtout consommé par les animaux de nos élevages et est importé à 97 % ! Nous avons déjà commencé à bannir l'huile de palme, bannissons aussi au plus vite, Nous, les Gens, et les éleveurs, la consommation de soja. Les acheteurs ont déjà permis de réduire l'usage de l'huile de palme alimentaire de 25 % entre 2010 et 2018. C'est bien mais ce n'est pas assez. Vérifions sa présence sur la liste des produits que nous achetons car elle se glisse partout, depuis le diesel jusqu'aux cosmétiques et aux biscuits [141]. Sachons que dans le même temps, la consommation totale de cette huile a augmenté de 325 % en raison de sa présence dans les carburants, que l'on croit « propres » à tort ! L'usage des agrocarburants est encouragé par une directive européenne, et l'huile de palme est le premier biocarburant utilisé [142]. « Encouragé » ! Carrément. Vous vous rendez compte ? En croyant rouler plus « propre », nous participons activement à la dévastation de la forêt primaire dont nous avons tant besoin ! Je crois qu'après avoir lu ces lignes, vous aurez plus de mal à emplir sans arrière-pensée votre réservoir avec cet agrocarburant… Sur ce point, sur lequel Nous pouvons agir, je reviendrai, soyez-en certains.

Autre cause de la déforestation de l'Amazonie (mais aussi des forêts de l'Indonésie, de l'Afrique et de l'Asie), l'industrie du bois, bien sûr. Je cite ici une petite initiative encourageante : l'entreprise Lapeyre en France, géant de la vente de bois d'habitat, était le premier prédateur européen de bois tropicaux ou dits « exotiques », qu'elle importait d'Asie, d'Afrique et du Brésil. Mais l'entreprise a décidé depuis 2012 de renoncer à cette prédation. Elle fabrique donc des fenêtres et des portes en pin et en chêne, provenant de forêts européennes certifiées et d'usines de fabrication éco-certifiées. Il est nécessaire, vital, je l'ai dit et le redis, *que nous participions à ce boycott des bois tropicaux* – 2e action après le boycott du soja et de l'huile de palme –, en contrôlant l'origine de ce que nous achetons pour l'habitat.

On le sait peu, mais il existe encore dans le bassin du Congo un second « poumon de la planète », de plus de 2 millions de km^2, aussi essentiel que l'Amazonie mais également victime de la déforestation. En septembre 2014, la République démocratique du Congo s'est engagée à restaurer 30 millions d'hectares disparus ou dégradés, bien que la tâche soit encore assez utopique, car la RDC « n'a pas les fonds disponibles. Ensuite, même si elle disposait des fonds, elle n'aurait pas les capacités humaines et techniques pour réaliser des plantations à cette échelle. Le pays est peu organisé, avec un effondrement des compétences humaines depuis 15 à 20 ans [143] ».

C'est donc à nous, encore une fois, pays riches et importateurs, de nous imposer *la fin totale de l'achat de bois tropicaux ou « exotiques »*. J'ajoute que cette filière de bois tropicaux bénéficie très peu aux travailleurs locaux, mal payés, et les prive de leurs ressources naturelles et de leur stabilité climatique.

Il y a des alternatives en Europe pour se fournir en bois, s'il vient de forêts à gestion écologique certifiée. Pour vos meubles, eh bien, déjà, n'oubliez pas les meubles anciens, vendus à des prix dérisoires ! Ces buffets, armoires, tables, chaises, ont l'avantage d'être bien plus beaux que ce qu'on peut trouver dans les magasins d'ameublement, et sont autrement plus solides.

Voyons une autre alternative dont il est beaucoup question : le bambou, aux qualités assez magiques. « En elle-même, cette plante ligneuse est écologique par excellence : elle peut fixer jusqu'à 30 % de plus de CO_2 que les arbres et libère donc 30 % d'oxygène de plus qu'eux. En outre, le réseau racinaire de la plante a l'avantage de limiter l'érosion des sols et ses feuilles étroites laissent passer davantage de pluie que les arbres, offrant ainsi une infiltration d'eau deux fois supérieure que dans les forêts de feuillus. Il n'a pas besoin d'engrais et autres pour se développer [144]. » « Son utilisation est de plus en plus massive : dans les meubles, les revêtements de sol, les vêtements et jusque dans nos assiettes (très bon, la pousse de bambou !). Très résistant, le bambou a en outre une croissance rapide. Il pousse en un an et arrive à maturation en trois ans. Il peut ainsi être exploité pour la construction au bout de quatre ans. Tant et si bien qu'aujourd'hui les petites exploitations certifiées écologiques et/ou commerces équitables n'y suffisent plus [145]. » Mais (ce bon vieux « mais ») la production massive de ce végétal entraîne la déforestation d'autres espèces, en Asie surtout. Bref, ce n'est pas le bambou en lui-même qui n'est pas écologique mais sa production excessive et son traitement. L'excès, toujours l'excès, on le retrouve partout.

« En construction, il requiert dix fois moins d'énergie qu'une construction en ciment et presque cinquante fois moins qu'une construction en acier. Et à la différence de ces matériaux, le bambou est totalement recyclable. Les déchets de bambou recyclés sont largement utilisés dans la culture d'autres végétaux et même pour la production d'engrais [146]. »

Bref, le bambou paraît assez idéal, à ceci près qu'il présente des désavantages écologiques *s'il est exploité massivement*. De plus, c'est une plante invasive, ce qui réduit la biodiversité. « Autre inconvénient, la plus grande partie vient de Chine, d'Inde, du Vietnam et d'Amérique latine. La nécessité d'expédier le bambou partout dans le monde en fait donc aussi, au niveau de l'empreinte carbone, un matériau beaucoup moins respectueux de l'environnement qu'on ne pourrait le croire [147]. » À nous de réduire nos achats pour restreindre son expansion, et à nous, à chaque achat, de contrôler sa provenance.

Ah, il est intéressant de savoir aussi qu'en achetant des textiles en bambou, on risque fort de tomber sur de la viscose de bambou, synonyme de traitement chimique polluant [148]. Car pour extraire cette viscose du bambou, il faut la dissoudre dans de la soude caustique, matière qui passera ensuite dans une solution de sulfate de soude et d'acide sulfurique [149]. Là aussi, ayons l'œil sur les étiquettes, et très vite je crois nous nous détournerons de cette viscose. Je vous parlerai plus loin de l'effet polluant des vêtements en fibre synthétique –

sidérant –, mais gare à ne pas mélanger mes sujets ou mon Censeur va se dresser illico sur la route.

Je poursuis donc dans mes sentiers de forêts pour me tourner vers l'Asie du Sud-Est. On a vu que la culture de palmiers à huile a des effets catastrophiques en Amazonie, mais pas seulement : « Elle est l'une des principales causes de déforestation en Asie du Sud-Est, notamment en Indonésie et en Malaisie, qui représentent plus de 85 % de la production mondiale [150]. » Malgré cela, l'Union européenne, pourtant dûment informée, la subventionne en tant que « biocarburant vert » ! On croit rêver ! L'Union européenne pourrait l'interdire mais est à la merci des… – devinez qui – des lobbyistes des gouvernements indonésien et malaisien sous la menace de ne pas signer de traité de libre-échange. Ainsi brûle-t-on les forêts tropicales par milliards de litres dans nos moteurs de voitures [151]… Emportant avec eux les orangs-outans, au bord de l'extinction, je les cite car j'ai une tendresse particulière pour eux et me souviens d'un orang-outan que j'aimais, qui se coiffait d'un air digne d'une salade verte en nous regardant droit dans les yeux, et qui

— Bip. Votre affaire personnelle avec cet orang-outan n'intéresse personne, faites demi-tour immédiatement.

Et voilà, vous ne connaîtrez jamais mon histoire d'amour fasciné avec ce grand et merveilleux singe dont l'habitat disparaît. Le colza produit une huile également utilisée pour fabriquer des carburants, et entre donc en concurrence directe avec les cultures alimentaires.

Attention à lui : c'est aussi un grand déforestateur ! Selon l'ADEME, les biodiesels assurent de 60 % à 90 % de réduction de gaz à effet de serre, mais c'est faux. Pour les ONG, ces biocarburants sont tout sauf bons pour la planète. « L'huile de palme a un impact climatique négatif 3 fois plus important que le gazole fossile », rappelle la responsable des biocarburants à l'ONG Transport et Environnement [152]. « Un litre de biodiesel issu du colza représente 1,2 fois plus d'émissions que le litre de diesel ; celui du soja, 2 fois plus d'émission, et celui de l'huile de palme, 3 fois plus [153]. » De quoi nous en dégoûter tout à fait.

Et gare de même à une autre génération de biocarburant à l'étude, fabriqué à base d'huile d'algues. GDF Suez et Air liquide espèrent le commercialiser d'ici 2020 [154]. Non ! N'y croyez surtout pas non plus ! *Le bilan des algocarburants est encore pire !* Leur production est très énergivore et, plus grave encore, les quantités nécessaires de *phosphore et d'eau* (ces deux éléments vitaux à protéger de toute urgence !) pour les fabriquer sont gargantuesques. J'ai déjà parlé des stocks de phosphore en grand péril, et c'est une véritable folie, de l'inconscience dirais-je, que de le perdre dans cette industrie alors qu'il faut en préserver chaque gramme, en même temps que l'eau douce, denrée tout aussi vitale, qui deviendra très rare d'ici 5 à 6 ans. Et il faut 3 650 litres d'eau pour produire 1 litre d'algocarburant ! Contre 2 litres d'eau par litre d'essence [155].

Le résultat est évident : *ne nourrissons surtout pas notre voiture avec des biocarburants, quels qu'ils soient !* Si tous autant que nous sommes, Nous, les Gens, cessons de les consommer, alors ces problèmes très graves de déforestation, de hausse des émissions de CO_2 et de perte de cultures vivrières pour les habitants diminueront de fait. Aussi simple que cela. Quand je vous disais qu'on pouvait faire beaucoup, une fois que l'on sait, et le faire *avant Eux*. Faute de demande, l'Europe (et d'autres pays, il faut l'espérer) n'aura plus aucun intérêt à importer de l'huile de palme ou du colza. Si dans un an nous refusons le nouvel « algocarburant » qui avale notre phosphore et notre eau, eh bien sa production cessera sur-le-champ, ce qui serait une excellente nouvelle. Et je devine, je pressens qu'à présent munis de ces informations, vous n'aurez plus guère envie de vous en servir à la pompe…

Donc, oublions ces biocarburants, aussitôt dit, aussitôt pensé, voilà une bonne chose de faite. Et dire qu'Ils ne nous informaient pas des impacts ! Dire qu'Ils les subventionnaient ! Vous trouvez cela normal, vous ? J'achève ici notre tour de ces fameux « biocarburants » en lesquels, Nous, les désinformés, espérions beaucoup.

Puisqu'on parle d'eau, de phosphore, d'agriculture, de ressources alimentaires, filons très vite du côté de l'élevage intensif et de l'agriculture associée pour nourrir les bêtes. Là encore, il me faut vous prévenir que cela va vous faire un choc. Deux chocs même. Je les ai subis et, de par ma nature dévouée et empathique, je les partage avec vous, voyez comme vous avez de la chance ! Sur cette question aussi *la désinformation totale dont nous sommes victimes est criminelle*. Je ne me doutais pas, avant d'aller fouiller dans les entrailles du sujet, de l'énormité des impacts environnementaux de ce secteur agroalimentaire industriel (que l'on nomme aussi gentiment « conventionnel »), en de multiples domaines cruciaux, *vitaux*, ni de ses *impacts sur notre santé*, et ce fut un premier choc. Une fois ce savoir acquis, vérifié et survérifié, je subis le second choc d'un inévitable changement d'état d'esprit, d'une sorte de bouleversement des pensées, ce qui n'est pas facile non plus à encaisser.

— Bip. Vos réactions personnelles n'intéressent personne. Prenez la 4e à droite au rond-point et avancez droit.

Quel emmerdeur. Mais j'ai déjà dépassé la page 80, c'est vrai, donc avançons ensemble, d'un bon pas rapide.

Dans cette ignorance où nous avons été bien envasés, je crois que nous pensions tous que les industries et le transport routier étaient les causes principales des émissions de gaz à effet de serre. Eh bien pas du tout. Si l'industrie vient bien en tête avec 32 % de ces gaz, elle est immédiatement suivie par l'élevage, l'agriculture et la déforestation qui l'accompagnent avec 25 % d'émissions de gaz réchauffants, *loin devant le transport* (hors bétail) qui compte pour 14 %. Pour certains chercheurs, l'élevage-agriculture, tel qu'il est pratiqué aujourd'hui, *est même la première cause du réchauffement* (33 %). Oui.

Poussés à la consommation, nous sommes devenus fous : entre 1950 et 2000, la consommation de viande au niveau mondial a été multipliée par 5 alors que la population a « seulement » doublé. En France par exemple, c'est à partir des Trente Glorieuses (plus exactement les Trente Calamiteuses) (1945-1975) que la consommation de viande a explosé jusqu'à devenir biquotidienne dans de nombreux foyers.

L'élevage, couplé à l'agriculture pour nourrir le bétail, émet *37 % du méthane* répandu dans l'atmosphère – au pouvoir 25 à 28 fois plus réchauffant que le CO_2, je vous l'ai dit – issu des fermentations digestives des ruminants et des déjections non gérées. C'est aussi le *principal émetteur de protoxyde d'azote*, deuxième gaz responsable du réchauffement, généré, on l'a vu, par la surutilisation d'engrais azotés chimiques et par la mauvaise gestion des déjections animales [156]. Pour couronner le tout, il émet également du CO_2 (9 % des émissions) [157], via la consommation de carburant pour le fonctionnement de la ferme, le chauffage des infrastructures, la production d'intrants chimiques, le transport des céréales, le transport des viandes, souvent sur de très longues distances, et l'énergie dépensée pour le machinisme agricole [158]. Ajoutons tant que nous y sommes la très importante quantité de gaz fluorés utilisés dans la chaîne du froid, nécessaire pour stocker et acheminer les bêtes. Je signale au passage que les volailles, bien qu'émettant très peu de méthane, ne sont pas neutres en CO_2 en raison de leur consommation de céréales et de leur transport [159]. Vous imaginiez cela, vous ? Pas moi.

Aujourd'hui, le cheptel mondial d'animaux d'élevage s'élève à 28 milliards de têtes. Autrement dit, pour 1 humain, il existe 4 animaux d'élevage [160]. C'est un poids dramatique pour l'environnement. Cela ne nous étonne pas d'apprendre que les pays les plus consommateurs de viande sont également les plus gros pollueurs du monde [161] : en tête viennent les États-Unis, suivis du Brésil, de l'Union européenne et de la Chine [162].

Comme le rappelle le dernier rapport du GIEC, pour limiter le réchauffement à 1,5 °C, il faut que les émissions mondiales annuelles de gaz à effet de serre passent de 51 gigatonnes à 13 gigatonnes d'ici 2050. Or si dans ces trente prochaines années cruciales tous les autres secteurs parviennent à réduire leurs émissions (supposons...) mais que l'élevage continue à grandir, ce secteur émettra 10,53 gigatonnes, soit 81 % du « budget d'émissions » à ne pas dépasser. Cela rendrait les objectifs de réduction de la hausse des températures impossibles à tenir [163]. Selon le WWF, « la production d'un kilo de viande de veau rejette la même quantité de gaz à effet de serre qu'un trajet de 220 km en voiture » ! Un kilo ! Après elle, les viandes les plus polluantes sont l'agneau de lait (180 km), le bœuf (70 km), le porc (30 km) et le poulet [164] (7 km).

Et là, je n'ai parlé que des gaz, nous n'en avons pas terminé, loin de là ! Je ne fais que commencer ce passage sur l'élevage industriel, mais l'on comprend déjà que sa restriction massive, ou plutôt son abandon total, est incontournable.

On estime que *83 % de la surface agricole mondiale est utilisée pour l'élevage (ou 70 % selon la FAO, mais ce chiffre date déjà de 2006* [165]*)*, sachant qu'il faut 7 kilos de céréales pour produire 1 kilo de viande de bœuf [166]. Cette surface comprend donc l'espace pour le pâturage du bétail et la production de ces céréales destinées à les nourrir, au détriment de l'herbe, des résidus de culture et des déchets alimentaires comme auparavant. Alors que la consommation de viande ne produit que 18 % des calories nécessaires et 37 % des protéines [167]. En 2002, un tiers des céréales produites et récoltées dans le monde avait directement servi à alimenter le bétail. Cela représentait au niveau mondial 670 millions de tonnes, soit *assez pour nourrir trois milliards d'êtres humains* ! *Si on avait su au moins cela,* on aurait réduit la part de la viande dans nos pays riches pour permettre à d'autres de s'alimenter ! Mais on n'a rien su, rien. Qu'en ressent-on ? De la tristesse, de la colère, de la sidération. Qui vont croître, vous allez voir cela, avec ce qui va suivre.

C'est cette demande démesurée en terres agricoles pour l'élevage qui pousse à la déforestation, dont on a déjà vu les conséquences calamiteuses : 91 % des terres « récupérées » dans la forêt amazonienne servent aux pâturages ou à la production de soja et de céréales, le plus souvent transgéniques, qui nourriront le bétail. Sans cet élevage intensif, ces terres seraient utilisées pour planter des légumes, des fruits, des céréales pour les populations locales, ou bien pour replanter des arbres. La vie végétale pourrait reprendre le dessus, ce qui permettrait de freiner les effets du réchauffement climatique [168]. L'élevage engendre ainsi une pression insoutenable sur les sols, dont l'état est devenu critique [169].

Attendez, ce n'est pas tout, loin de là. Cet élevage intensif, industriel, *dévore le phosphore* de l'humanité, puisque le phosphore minéral est utilisé dans les engrais – en excès bien sûr – pour les céréales des animaux. Je l'ai dit et redit, et j'enfonce le clou, le phosphore est avec l'eau une ressource *vitale* non renouvelable, que nous ne savons pas fabriquer et qui est en train de s'épuiser très vite. Il est donc impérieux, obligatoire, je me répète encore volontairement, d'en finir avec l'épandage disproportionné des engrais phosphatés dans les sols agricoles [170]. C'est une question de vie ou de mort. Et avec celui des engrais azotés, qui libèrent le dangereux *protoxyde d'azote* (ou oxyde nitreux, ennemi de l'ozone) : l'agriculture est responsable de 86,6 % de ses émissions [171] ! J'ajoute dans notre cabas que 94 % des émissions d'ammoniac sont produites par l'élevage-agriculture intensifs [172] [173] (provenant en grande partie des excréments non traités et des engrais azotés), ammoniac qui est la principale cause des fameuses pluies acides et émet des particules fines. Ces pluies détruisent les éléments nutritifs du sol, causent un dépérissement forestier et altèrent les eaux [174].

Outre ces divers enjeux, déjà si multiples et gigantesques qu'ils nous abasourdissent ou nous épouvantent, la surconsommation de viande met en grand péril *nos ressources en eau*, cette eau qui *commencera à manquer dans 5 à 6 ans !* Oui, vous avez bien lu, dans 5 à 6 ans ! *Or la production industrielle d'1 kilo de bœuf absorbe 13 500 litres d'eau* (mais vous imaginez cela ? On commence à regarder d'un autre œil notre steak au poivre, c'est certain), contre 1 200 litres pour 1 kilo de blé ! Et produire 1 litre de lait nécessite en moyenne 990 litres d'eau [175] !

Ce n'est pas fini : la mauvaise gestion des déjections animales dans les élevages intensifs provoque le lessivage des nitrates et des agents pathogènes dans la nappe aquifère, qui met en danger les réserves d'eau potable. *Cet élevage est ainsi la plus grande source sectorielle de polluants de l'eau*, principalement par les déchets animaux, les antibiotiques, les hormones, les produits chimiques des tanneries, les engrais et tous les pesticides utilisés pour les cultures fourragères [176]. Ces engrais en excès, azote, phosphates et nitrates entre autres, sont captés par l'eau d'irrigation, elle-même déversée en excès. Les plantes et les sols ne pouvant absorber une telle quantité, cette eau ruisselle depuis les champs, rejoint les rivières puis la mer, et constitue de la sorte une cause majeure de pollution, jusque dans les nappes souterraines (dont 43 % en France dépassent désormais la valeur guide européenne en nitrates). Et tenez-vous bien, alors que nous allons manquer d'eau, l'irrigation incontrôlée de *l'agriculture productiviste est le premier consommateur d'eau douce de la planète avec 70 % des prélèvements (et jusqu'à 95 % dans certains pays en développement)* ! Je reviendrai, soyez-en sûrs, sur le problème crucial de l'eau. Je préfère vous en prévenir à l'avance pour que vous n'imaginiez pas que je ressasse sans m'en rendre compte. Mais sur ces questions, je préfère enfoncer les clous trois fois qu'une, c'est vrai.

Formidable, aberrant, cet élevage démesuré, non ? Sidérant même, je vous l'avais dit.

Tant que j'y suis, je mentionne ces « marées vertes », algues qui envahissent par exemple le littoral breton en France et qui dégagent un gaz mortel. Elles proviennent des rejets de lisiers, surtout des excréments de porcs riches en azote qui se transforment ensuite en nitrates, et indirectement, une fois encore, de l'excès d'engrais chimiques (nitrates, phosphates) apportés aux céréales destinées à nourrir le bétail [177] [178]. Ce phénomène est mondial et ne touche pas que la France ! Ces algues se retrouvent par exemple en Belgique, au Danemark, en Irlande, en Italie dans le delta du Pô et le lagon de Venise qu'elles ont envahis. Aux États-Unis, en Inde ou en Chine, sur les côtes de la mer Jaune, ces « marées vertes » sont encore plus importantes [179].

À présent, nous voilà *informés à satiété de la part destructrice considérable, inimaginable même, du couple de l'élevage-agriculture intensif pour la viabilité de la planète et la survie des hommes*, que je nous résume pour qu'on y voie bien clair : première ou deuxième cause des émissions de gaz à effet de serre, du méthane, du puissant protoxyde d'azote, du CO_2 et d'une lourde part des gaz fluorés utilisés dans la chaîne du froid ; utilisation de 83 % des terres agricoles du monde qui pourraient nourrir des milliards d'êtres humains, déforestation meurtrière en termes de captage du CO_2, érosion des sols, épuisement du phosphore vital, épuisement des ressources en eau potable, première source de pollution des eaux, cause principale des pluies acides, avec leurs répercussions calamiteuses sur la qualité des sols et la santé des forêts, source d'autres pollutions multiples (pesticides, herbicides, antifongiques) et des marées vertes. Fameux résultat, n'est-ce pas ?

Notre surconsommation de viande nous laisse soudain tourmentés, perturbés, voire effarés, nous arrachant à notre ancienne insouciance.

Nos gouvernants des pays riches, soucieux de notre avenir, nous ont-ils prévenus, point par point, de ces destructions inacceptables engendrées par cet élevage massif ? Là encore, non, bien sûr que non. Car la puissance du lobby de l'agroalimentaire est incalculable et impose un silence total, quitte à foncer droit et vite *vers la destruction du monde vivant sur notre Terre*. C'est donc à Nous, les Gens, de faire quelque chose au plus vite. Nous seuls le pouvons. Vous avez déjà compris comment, et c'est notre 3e moyen d'action : *en réduisant au maximum notre consommation de viande*. Nous y sommes tant habitués que, oui, c'est un choc certain, mais une action incontournable. Selon la revue *Nature*, « Sans action concertée, les impacts environnementaux de notre alimentation pourraient croître de 50 à 90 % d'ici 2050, du fait de la croissance de la population et de régimes toujours plus riches en graisses, sucre et viande », ce qui serait une catastrophe planétaire. L'étude ajoute que « la consommation globale de viande devra être réduite *drastiquement* si le monde veut agir contre le réchauffement climatique (et contre tous les autres impacts que j'ai cités). Les pays développés en particulier *devront réduire de 90 % leur consommation de viande pour préserver la planète et nourrir les quelque 10 milliards d'humains attendus d'ici 2050*[180] », ont calculé les chercheurs. Pour Greenpeace, nous ne devons pas dépasser 250 grammes de viande par semaine (ce qui paraît déjà beaucoup trop), et il faudrait nous limiter à un demi-litre de lait par semaine. Car bien sûr, les produits laitiers issus de cet élevage devront aussi être restreints[181]. Pour le WWF France, « *limiter sa consommation de viande est le geste qui a le plus d'impact si l'on veut réduire notre empreinte carbone*[182] ». Et, vous l'avez vu, bien d'autres choses encore que l'empreinte carbone.

90 %… C'est lourd, c'est dur. Mais c'est un choix, et c'est même le Grand Choix – encore inconcevable il y a un siècle et qui se résume par : *vivre ou mourir*, pour

le dire vite et clair. Un choix en réalité très stimulant quand on pense à ses multiples effets si nécessaires et bénéfiques. Ce n'est même pas un choix, c'est une exigence, une obligation. J'y ai réfléchi longuement au cours des nuits, et cette restriction qui nous sauvera est finalement tout à fait réalisable. Il faut néanmoins savoir que c'est la viande qui nous apporte l'indispensable vitamine B12, mais on la trouve aussi dans le hareng, la truite, le saumon, les sardines (et je vous parlerai du problème que pose le poisson contaminé, on n'y coupera pas), le lait, les laits végétaux complémentés, les œufs et le poulet (en faible quantité). Certains fromages contiennent également des quantités importantes de vitamine B12, mais ils font partie de cette filière viande. On peut aussi avoir recours à des cures saisonnières de minéraux-vitamines.

Si nous parvenons, *ensemble*, (eh oui, ensemble, vous comprenez bien que cela ne sera d'aucune utilité que je me prive de viande toute seule dans ma salle de bains, pardon, cela m'a échappé, toute seule dans ma cuisine) à opérer cette réduction draconienne au plus vite, alors nous porterons un coup des plus rudes au lobby agroalimentaire dévastateur, ce qui sera particulièrement satisfaisant et ne sera qu'un juste retour des choses (ils vont être drôlement surpris, les gars du lobby, vous ne croyez pas ?). Ainsi épargnerons-nous au monde vivant, nous, Nous tout seuls, Nous les Gens, armés de notre seule conscience, de notre courage, de notre détermination, et... de notre instinct de survie, les effets cataclysmiques de cette forme d'élevage-agriculture insensée, vertigineuse, nous réduirons de manière *déterminante* les gaz à effet de serre (protoxyde d'azote, méthane, CO_2, gaz fluorés), la déforestation, l'épuisement de l'eau, sa pollution, la destruction des sols, nous restreindrons les engrais en excès, les pesticides, nous éliminerons 94 % de l'ammoniac et donc les pluies acides, nous lutterons contre la fin du phosphore et la totalité des effets dramatiques dont j'ai parlé. *Sans attendre* une action des autorités, et pourquoi ? Parce qu'elle ne viendra pas. Et je le redis : si nous avions été informés *avant,* nous serions prêts, et non pas comme aujourd'hui le couteau sous la gorge, au bord du grand abîme. Il est indispensable pour ce faire que cette information finisse par être connue dans le monde entier pour porter ses fruits. Nous devons être des milliards à abaisser cette folle consommation et ne pas utiliser de biocarburants ni de bois exotiques. Mais comment faire passer ce message ? Ce n'est pas ce petit livre qui y parviendra ! Il nous faut le faire connaître par les réseaux sociaux et y lancer des alertes répétées et argumentées. Ne possédant pas de compte sur un réseau, vous aurez compris que je m'en remets à vous !

Et enfin, enfin, nous ont-Ils informés des conséquences de la consommation excessive de viande et de charcuterie sur notre santé ? Non, pas du tout. Pourtant, on pourrait croire qu'Ils s'en préoccupent puisque, concernant le tabac, Ils y vont à fond. Est-ce donc pour notre santé ? Non, cela tient à la minimisation des coûts pour la Sécurité sociale, sans doute. Car vous aurez noté que, pour ce qui est de l'alcool, les alertes sont mille fois moindres. En France, une seule et modeste petite ligne figure en bas des publicités nous rappelant qu'il ne faut pas en abuser. Et pas d'image d'un foie endommagé ou d'une femme enceinte sur les bouteilles, comme ils le font avec les poumons sur les paquets de cigarettes. Pas besoin d'être grand clerc pour comprendre que le vin est un des nerfs de la guerre de l'économie française et qu'il ne faut à aucun prix y toucher ! À la différence des cigarettes, qui sont américaines ou anglaises. Preuve en est cette déclaration du ministre français de l'Agriculture en janvier 2019 : « Le vin n'est pas un alcool comme un autre. » (!)

Et les fruits et légumes blindés de pesticides, d'herbicides et d'antifongiques ? Ont-Ils légiféré pour que les commerçants signalent par une étiquette les produits ainsi traités ? Nenni. Et ainsi de toute chose. Quand je vous disais que nous n'étions à leurs yeux qu'une masse uniquement propre à acheter et consommer pour assurer la Croissance.

Eh bien, puisqu'Ils sont bouche cousue, nous allons en parler, Nous, les Gens, des conséquences avérées de notre consommation de viande sur notre santé, qui sont nombreuses et dont on ne se doutait pas une seconde.

Première chose, et ce n'est qu'un à-côté par rapport à ce qui va suivre, « le nombre énorme d'animaux élevés en confinement, dotés d'une variabilité génétique très pauvre, et soumis à une croissance rapide dans des conditions effroyables, crée des conditions idéales pour l'émergence et la propagation de nouveaux pathogènes [183] ».

À titre général, la surconsommation de viande rouge (on nomme « viande rouge » tous les types de viande issus des tissus musculaires de mammifères comme le bœuf, le veau, le porc, l'agneau, le mouton, le cheval et la chèvre) « a pour effet d'augmenter la prévalence des affections suivantes : cancers (colon, prostate, intestin, rectum), maladies cardio-vasculaires, hypercholestérolémie, obésité, hypertension, ostéoporose, diabète de type 2, altération des fonctions cognitives, calculs biliaires, polyarthrite rhumatoïde[184] ». Nous voilà servis. Le Fonds de recherche mondial sur le cancer a présenté en 2010 – et nous ne l'avons pas su ! Ils ne nous l'ont pas dit ! – un examen détaillé de 7 000 études cliniques portant sur les liens entre alimentation et cancer. Il en ressort – et c'est très important – que les viandes *transformées* sont dangereuses et sont fortement liées à une augmentation du risque de cancer colorectal. En octobre 2015, le CIRC (Centre international de recherches sur le cancer) *a classé la consommation de viande comme « probablement cancérogène[185] » (et l'a réaffirmé dans son rapport de 2017), et celle des viandes transformées comme « hautement cancérogène[186] »*. Une étude menée par l'Université de Hawaï en 2005 a montré que la consommation de viandes transformées augmentait le risque de cancer du pancréas de 67 %, tandis qu'une autre étude a conclu qu'elle augmentait le risque de cancer colorectal de 50 %.

Qu'appelle-t-on « viandes transformées » ? Eh bien tout simplement les charcuteries et les viandes présentes dans tous les plats tout préparés comme les pizzas, lasagnes, raviolis, hachis parmentier, sauces bolognaise… Vous le saviez, vous ? Moi pas. Un conseil, et plus que cela, un avertissement : *désertez les rayons viande et charcuterie des grandes surfaces*. L'Institut national du cancer donne la définition suivante du terme « charcuterie », au sens scientifique : « Le terme "charcuteries" prend en compte les viandes conservées par fumaison, séchage, salage, ou addition de conservateurs (y compris les viandes hachées si elles sont conservées chimiquement). »

Ces viandes transformées sont généralement fabriquées avec un ingrédient cancérogène : le nitrate de sodium. Il est surtout utilisé comme un colorant qui fait croire que la viande est fraîche. Or, le nitrate de sodium se combine avec les protéines de la viande pour donner des nitrosamines, hautement cancérogènes (et de même si nous buvons de l'eau trop nitratée, attendu que nous sommes aussi des animaux. Donc, contrôlez la teneur en nitrates de votre eau du robinet).

Autre additif alimentaire ajouté : le glutamate de sodium (E621). Présent dans pratiquement toutes les viandes transformées, il serait lié à des troubles neurologiques tels que la migraine, la perte de contrôle de l'appétit, l'obésité [187]... Cet additif serait même déterminant dans l'apparition des amas de bêta-amyloïde toxique dans le cerveau, qui constituent le cadre même de la maladie d'Alzheimer.

On voit aussitôt défiler dans notre esprit avec une nostalgie poignante des chapelets de saucisses, des pâtés, des lardons, des saucissons secs, mais aussi des steaks au poivre, des escalopes à la crème et aux champignons, des

— Bip. Ce défilé gastronomique ne concerne que vous. Faites demi-tour immédiatement.

Très bien. Il n'empêche qu'on le voit, ce défilé. Mais en réalité, très vite, le dégoût surpasse la nostalgie et abolit tout désir. Très vite, on n'a plus aucune envie d'avaler des raviolis en conserve et l'on passe devant les saucissons sans ciller. Attention, cela ne vaut pas que pour les produits des grandes surfaces. Bien des bouchers commandent leurs charcuteries à des groupes de production industriels, ce qui revient au même. Les choses changeront quand l'élevage sera devenu biologique, et il le deviendra nécessairement, dans le monde entier, grâce à notre action commune, et faute d'eau et de phosphore…

Pour l'histoire, à partir de 1924, certains pays ont autorisé l'utilisation d'une molécule encore plus puissante que le nitrate de sodium : le nitrite de sodium. Il permet une fabrication quasi instantanée du bacon, des saucisses et des jambons cuits. Les autorités médicales françaises ont d'abord lutté contre ce procédé, qu'elles considéraient dangereux et frauduleux. Mais en 1964, afin de préserver la compétitivité de la charcuterie française face aux productions étrangères, le nitritage a finalement été admis – sans qu'aucun test médical de longue durée n'ait pu être conduit. C'est quelques années plus tard que les premières alertes sont apparues : au début des années 1970, les cancérologues ont commencé à comprendre que l'utilisation d'additifs nitrés augmentait la fréquence des tumeurs cancéreuses. En 2007, le World Cancer Research Fund a recommandé d'éviter totalement la consommation de charcuteries, et en 2015, le CIRC a conclu 30 ans de travaux épidémiologiques en classant les charcuteries en catégorie 1 (« cancérogène certain »). Oui je sais, je l'ai déjà dit mais je préfère vous le répéter.

Et tout cela depuis au moins douze ans. Ils nous l'ont dit, les ministres de la Santé ? Non, ils nous ont laissé nous gaver de viandes et de charcuteries sans nous adresser la moindre information. Mais pourquoi ce silence ? *Pourquoi ?* Sinon pour protéger les profits du lobby agroalimentaire en pleine expansion ? Est-ce une raison suffisante pour nous mettre tant en danger ? Apparemment oui. Je suis navrée, si vous ne le saviez pas, de vous apporter cette si sale nouvelle. Mais pour le bienfait de la Terre et le vôtre, il va nous falloir reculer.

Soyons précis afin de bien comprendre de quoi il s'agit : outre la production de nitrosamines « dangereux même à très faible dose », il y a plus grave encore : pour qu'apparaisse la couleur artificielle des charcuteries modernes, les additifs nitrés doivent agir sur le fer de la matière carnée (le fer dit « héminique »). Ils donnent alors naissance à des composés appelés nitrosohème ou fer nitrosylé. Les scientifiques comprennent aujourd'hui que ces molécules sont au cœur des mécanismes qui font croître les tumeurs [188]. Même si les industriels parvenaient à maîtriser le risque lié aux nitrosamines, les charcuteries nitrées resteraient cancérogènes à cause de cet effet du nitrite sur le fer héminique. On attend des gouvernants l'interdiction des additifs nitrés, l'abandon des techniques de « salaison accélérée » et le retour aux méthodes de fabrication lente qui font apparaître le pigment naturel. En Europe, les industriels rechignent, tandis que les services marketing des fabricants s'opposent à la suppression du nitritage : sans lui, le jambon, les knacks et les lardons ne seront plus roses, mais blancs ou gris. C'est risquer de vendre beaucoup moins car la couleur rose donne au consommateur l'illusion de la fraîcheur, encore que – voyez comme l'information suinte – sont apparues depuis peu dans les présentoirs des tranches de jambon de poulet spécifiées « sans ajout de nitrites ». Et le phénomène gagnera du terrain. Néanmoins, *faites très attention et ne les achetez pas*, car les fabricants sont rusés : s'ils n'ajoutent pas de nitrites, la viande est cuite dans un bouillon de légumes, dont des légumes naturellement riches en nitrates qui, sous l'effet de ferments, se transforment en nitrites. Malin, non ? Examinez aussi à la loupe la liste des ingrédients des jambons dits « bio », qui peuvent contenir eux aussi des nitrites.

Face à cet ensemble de données, l'ANSES (Agence nationale de sécurité sanitaire de l'alimentation, de l'environnement et du travail) insiste sur la nécessité de réduire considérablement la consommation de charcuteries afin qu'elle ne dépasse pas 25 grammes par jour. À mon sens, c'est déjà bien trop et mieux vaut s'en passer totalement. Quant à la consommation de viandes hors volailles, l'Agence préconise qu'elle ne devrait pas dépasser 500 grammes par semaine (c'est aussi bien trop). L'intérêt d'une consommation bihebdomadaire de poissons, dont un poisson gras, est réaffirmé [189]. Mais les océans sont épuisés, on le verra plus loin, et le poisson est contaminé. 300 à 500 grammes de viande rouge par semaine (soit 24 kilos par an et par personne) me paraissent excessifs, au vu de l'impact environnemental, et très éloigné de l'objectif de 90 % de moins que nous devons atteindre.

Conséquence, matin et soir, je pense à la bouffe (ce qui me donne faim, par ailleurs). En France, on estime à 84 kilos la consommation de viande par personne et par an [190]. (Mais les chiffres varient selon les sources, et certaines parlent de 45 kilos, ce qui paraît fort peu). 84 kilos, soit 7 kilos par mois, soit 1,75 kilos par semaine soit environ 230 grammes par jour. Pour atteindre une réduction de 90 % (attendez que je fasse mes calculs, je ne suis pas douée pour ça), il faudrait viser une consommation de 8,4 kilos par an, soit de 160 grammes par semaine, volaille comprise. C'est tout à fait jouable. Ainsi, sur une semaine, on pourrait consommer une fois de la volaille (bio), une fois du poisson (le moins contaminé possible, j'y reviendrai), des pâtes, des raviolis ricotta-épinards, des gratins de légumes, des quiches aux épinards, aux champignons, des salades de carottes, de tomates (bio), de brocolis (j'ai horreur des brocolis et je

— Bip. Vos préférences culinaires n'ont rien à faire ici, faites demi-tour immédiatement.

Très bien très bien, ce n'est pas faux, je poursuis : une ou deux fois deux œufs par semaine, une part de fromage sans conservateur, des pommes de terre, des soupes, du riz (peu), de la viande dite rouge une fois tous les 15 jours, et surtout aucune charcuterie et aucun plat tout préparé. Énumération très hasardeuse qui peut être arrangée à votre goût, mais voyez qu'il y a de quoi faire.

On a dit qu'il nous fallait restreindre aussi notre consommation de lait. On pense donc aux « laits végétaux ». On les croit a priori parfaits, mais ce n'est pas le cas. Les laits issus du soja ont un impact environnemental très important, lié à la dégradation des sols due à la déforestation. Ils sont donc à éviter. Le lait d'amande, s'il a un impact environnemental très inférieur au lait conventionnel, exige pour sa fabrication près de 20 fois plus d'eau que le lait de vache ! L'autre problème du lait d'amande est qu'il entraîne la perte d'une grande partie des nutriments de l'amande. Laits d'amande et de noisette restent cependant bons à consommer, mais autant croquer directement des amandes et des noisettes. Quant au lait de riz, évitons-le de même, la culture du riz étant une grande source d'émission de méthane [191].

Tout cela nous amène aux fermes d'élevage-agriculture biologiques auxquelles on devra avoir recours si l'on désire ne pas manquer d'eau et de phosphore (je crois que là-dessus, tout le monde est d'accord !) et de temps à autre manger de la viande, ce qui n'est pas proscrit ! En France, la dimension des élevages laitiers biologiques reste dans la moyenne : 95 hectares de surface agricole et environ 49 vaches par exploitation, le foin issu des pâtures servant à nourrir les bêtes. Les vaches, élevées naturellement, y sont un peu moins productives – moins de 6 000 litres de lait par vache et par an [192]. Il est certain que le nombre de ces fermes, qui doivent demeurer de petite taille et nous fournir des viandes et un lait de qualité (viandes rouges mais aussi volailles élevées en plein air et nourries aux grains sans OGM) est amené à se développer [193]. Une étude a montré que l'on pouvait réduire l'empreinte carbone du lait en passant à un élevage durable basé sur le pâturage : si les vaches sont nourries à l'herbe plutôt qu'avec des céréales, du soja et des oléagineux, beaucoup d'impacts environnementaux liés à la production de la nourriture des ruminants disparaissent. Et cela permet d'améliorer le stockage de carbone dans le sol. En outre, nourrir les vaches à l'herbe diminue la production de méthane liée à la fermentation entérique [194].

Pour ce qui est de l'agriculture seule, *les rendements des fermes biologiques sont égaux ou supérieurs à ceux de l'agriculture industrielle*. La FAO note qu'« en moyenne, le rendement des cultures biologiques est comparable à celui des cultures conventionnelles ». Sur 75 % des surfaces « bio » du monde, on obtient de meilleurs rendements à l'hectare qu'avec l'agriculture conventionnelle. L'agronome Jacques Caplat considère que l'agriculture biologique peut parfaitement nourrir l'humanité à moyen terme, puisque les rendements des cultures associées sont bien meilleurs que les rendements des monocultures standards, même améliorées par la chimie. « Alors qu'un hectare de blé cultivé avec l'aide de produits phytosanitaires peut produire au maximum 10 tonnes de grains, un hectare de maraîchage diversifié permet d'obtenir de 20 à 50 tonnes de légumes variés par an. » *Mais bon sang, qu'attendons-nous ?*

Au sein de l'agriculture biologique, il faut citer la branche de la permaculture, qui peut se pratiquer sur de petites surfaces (un balcon, même !) avec des rendements suffisants pour nourrir une famille. Elle s'inspire du fonctionnement de la nature. On peut la présenter de manière complexe, philosophique, éthique (trois principes éthiques : prendre soin de la Terre, prendre soin des hommes et partager équitablement les ressources), et je vais donc vous citer une définition qui la résume assez bien et simplement : « Cette technique cherche à concevoir des installations humaines harmonieuses, durables, résilientes, économes en travail comme en énergie, à l'instar des écosystèmes naturels. Ses concepts reposent sur un principe essentiel : positionner au mieux chaque élément de manière à ce qu'il puisse interagir positivement avec les autres, c'est-à-dire créer des interactions bénéfiques, comme dans la nature où tout est relié. Dès lors, chaque fonction est remplie par plusieurs éléments et chaque élément remplit plusieurs fonctions, les déchets de l'un deviennent les produits de l'autre, permettant au tout d'être davantage que la somme des parties [195]. »

Dans le registre des protéines animales, et avant d'aborder l'épineuse question du poisson, et

— Bip. « Épineuse »/« Arêtes de poisson », vous croyez que je n'ai rien vu ? Le lecteur n'a que faire de vos blagues idiotes, ce n'est vraiment pas le moment, reculez immédiatement.

— Cette blague idiote m'est venue de façon inopinée.

— Eh bien cessez de suite vos écarts inopinés et avancez droit.

Un authentique tyran. Si on ne peut plus être inopiné de temps à autre…

… et puisque nous avons parlé des sols agricoles, je fais un détour par leur salinisation (qui n'est pas rien, vous allez voir). La teneur croissante en sels dans les terres, phénomène appelé « salinisation », est un problème planétaire qui conduit à une diminution de la fertilité des sols en raison des effets nocifs des sels sur les végétaux, avec une diminution des rendements de cultures et à terme une stérilisation des sols. Les sels dans les sols (et dans les océans) ont une origine naturelle et une origine humaine [196]. La salinisation des sols progresse dans le monde et concerne un cinquième des terres irriguées. Une étude de l'Université des Nations unies révèle l'ampleur de ce phénomène qui fait perdre chaque jour 2000 hectares de terres cultivées. En l'espace de deux décennies (1994-2014), la superficie totale des terres irriguées abîmées par le sel est passée de 40 millions d'hectares à plus de 62 millions d'hectares, soit une superficie équivalente à celle de la France. La dégradation des sols par le sel résulte généralement d'un mauvais drainage. « Une part de ce sel est déjà présente naturellement dans le sol, mais la plus grande partie est déposée sur les terres agricoles quand les cultivateurs irriguent trop leurs terres. Le sel se dissout en petites quantités dans les rivières. Et cette eau des rivières se retrouve dans les récoltes, puis elle est drainée ou s'évapore, mais le sel reste. Il s'accumule à la surface des champs irrigués qui deviennent alors toxiques et stériles » (*New Scientist*). Désormais, 20 % des terres irriguées (en 2014) produisent moins à cause du sel. Les pertes de productivité varient d'une région à l'autre de 15 % à 70 %. Au niveau économique, ces pertes de productivité et de rendement des sols dégradés ont été estimées à 23,7 milliards de dollars par an [197].

L'exemple le plus connu est celui de la mer d'Aral, où la culture intensive du coton a provoqué une véritable catastrophe écologique et dégradé les sols de la région. Ailleurs dans le monde, le bassin du Gange et de l'Indus en Inde, le bassin du fleuve Jaune en Chine, celui de l'Euphrate entre la Syrie et l'Irak (zone de salinisation très ancienne), ou encore la vallée de San Joaquim en Californie pour ne citer que quelques exemples, sont confrontés à ce problème [198].

Si ce sont majoritairement les activités agricoles qui constituent les apports les plus importants de sels dans les sols, notons aussi que le salage massif des routes en hiver est responsable, temporairement, d'une augmentation des sels mobiles dans les eaux de ruissellement et du coup, dans les sols qui reçoivent ces eaux.

Aujourd'hui, près de 800 millions de personnes sont sous-alimentées dans le monde et la salinisation pourrait menacer 10 % de la récolte céréalière mondiale. On en revient une fois de plus à *une gestion durable de l'irrigation et du drainage*, ce que ne pratique pas du tout l'agriculture industrielle.

Pour prévenir la salinisation des sols, le mieux est de recourir à une irrigation au goutte-à-goutte, qui mesure la quantité d'eau distribuée à la surface autour de la plante, *ne dépassant pas ses besoins*[199]. Pour sauver les sols déjà salinisés, des tuyaux souterrains de drainage peuvent emporter l'eau saline (vers des centres de désalinisation). Un tiers des terres salines gorgées d'eau pourraient être ainsi bonifiées.

Avant cet écart – important, non ? – sur la salinisation, j'en étais à l'épineuse question du poisson.

Le poisson était autrefois considéré, avec ses oméga 3, comme le plus sain des aliments. Eh bien ce n'est plus le cas. On a vu au cours de ce texte les problèmes de la pollution des eaux, de la mort des poissons, de la surpêche (un pêcheur britannique d'aujourd'hui, avec toute la technologie moderne, pêche 16 fois moins de poissons que son ancêtre, 120 ans auparavant, avec les techniques traditionnelles). J'ajoute que 86 % des poissons vendus en grande surface sont issus d'une pêche « non durable » ou de stocks surexploités et que *la grande distribution vide les océans.* C'est insensé. Le cabillaud affiche le pire résultat avec 88 % issus d'une surpêche, suivi par la sole (86 %) et le bar (80 %). Pour remédier à cette situation, la revue *Que Choisir* « presse les pouvoirs publics de durcir les quotas de pêche mais aussi de rendre l'étiquetage sur la durabilité de la pêche enfin explicite ». 66 % des supermarchés français ne respectent pas les mentions obligatoires sur les méthodes de pêche et les zones de capture. Alors que les consommateurs sont conscients des dégâts occasionnés par certains engins de pêche, comme les chaluts de fonds, il est *inadmissible* qu'en étant privés de cette information ils puissent acheter à leur insu des poissons pêchés de manière dévastatrice pour l'environnement [200]. Donc *évitons au maximum ces poissons de grande surface* pour préserver autant que nous le pouvons la vie maritime déjà tellement endommagée [201].

Je me dois de dire que l'évolution de la politique environnementale de la Chine – premier pays pêcheur devant l'Indonésie, l'Union européenne, les USA et l'Inde – inclut un ambitieux plan quinquennal (2016-2020) de restauration des stocks et de protection des écosystèmes dans sa zone économique exclusive [202]. S'il sera appliqué est une autre question.

Mais, et ça nous le savons (pour une fois qu'on sait quelque chose), les océans sont de plus en plus pollués par le mercure. Le mercure est un métal lourd qui est assimilé par les organismes vivants sous une forme chimique très toxique : le méthylmercure.

Le mercure est notamment émis par les activités humaines (exploitation minière, métallurgie, combustion des déchets et des combustibles fossiles en particulier, transformation de pâte à papier). Il s'est disséminé dans les écosystèmes terrestres et marins, jusqu'en Arctique et en Antarctique. On est forts, on est très forts, les industriels balancent du mercure sans faire l'effort de réfléchir aux conséquences. De cette industrie comme de toutes les autres (industrie agroalimentaire comprise !), on pourrait dire, en modifiant d'un mot la phrase de Rabelais : « Industrie sans conscience n'est que ruine de l'âme. » Et du monde vivant.

Des technologies existent pourtant pour capturer ce mercure industriel : l'une d'elles [203], qui se penche sur les très importants rejets de mercure par les usines d'incinération des déchets (et principalement des amalgames dentaires et des piles boutons), consiste à injecter une solution de bromure dans le flux de déchets entrants. Ce produit chimique améliore l'oxydation du mercure. Le mercure ainsi oxydé est facilement capturé au sein du traitement des fumées. Ce procédé est fortement utilisé en Chine et aux États-Unis dans les centrales thermiques au charbon. *Et en Europe, une fois de plus, qu'attendons-nous ?*

Un autre procédé de « mercure oxydation [204] » est un système d'épuration par voie humide qui applique un mélange acide de peroxyde d'hydrogène et d'un additif comme un liquide de lavage par lequel le mercure élémentaire est oxydé en une forme soluble dans l'eau, et récupéré. Je suis désolée de devoir vous abreuver de termes techniques, je les réduis autant que possible mais ces techniques de captage sont importantes à connaître.

Et l'idée qu'on sache comment capturer cette saleté est plutôt réconfortante.

Dans les centrales à charbon, l'utilisation de charbon actif associée à des nanoparticules d'or (5 %) est efficace et durable pour la capture du mercure. Le coût d'exploitation est compensé par la durabilité du procédé [205].

J'ai cherché, mais sans succès je l'avoue, à savoir si ces systèmes de capture équipaient déjà toutes les usines émettrices. Dans ce domaine comme dans bien d'autres, il est impossible de savoir ce qui est actuellement mis en place ou non.

Selon le Programme des Nations unies, au cours des 100 dernières années, la quantité de mercure présente dans les 100 premiers mètres des océans a doublé. Dans les eaux plus profondes, la concentration de mercure a augmenté de 25 %. Aujourd'hui, les océans constituent l'un des principaux réservoirs pour le mercure, qui est assimilé par les poissons et s'accumule dans la chaîne alimentaire jusqu'aux prédateurs : « Présent à de faibles concentrations dans l'eau ou les sédiments sous sa forme méthylée, il peut se concentrer très fortement dans les organismes aquatiques, sa teneur tendant à s'élever chaque fois qu'une espèce en mange une autre », indique l'ANSES. Autrement dit, les grands poissons prédateurs présentent la plus forte teneur en mercure car ils se nourrissent de plus petits animaux qui ont eux-mêmes déjà ingéré du mercure [206]. Parmi eux, entre autres, la lotte, l'anguille, le flétan, le mulet, le brochet, la raie, la dorade, le requin, l'esturgeon, le thon [207].

À haute dose, le méthylmercure est toxique pour le système nerveux central de l'homme en particulier durant son développement in utero et au cours de la petite enfance.

Et vous l'avez compris, après ce passage technique pénible, la consommation de poisson constitue la principale source d'exposition alimentaire de l'homme au méthylmercure. Par rapport aux bénéfices nutritionnels du poisson, l'ANSES a évalué les risques afin de déterminer des fréquences de consommation de poisson sans menace pour la santé. Oui, on en est là.

Depuis 2002, l'Agence a rendu trois avis pour évaluer le risque sanitaire lié à la consommation de poisson contaminés. Et je le répète : en avons-nous été informés par les gouvernants ? En rien. C'est encore à nous de nous débrouiller pour savoir.

Pour l'ensemble de la population, l'ANSES estime que la consommation de poissons ne présente pas de risque pour la santé au regard de la toxicité du méthylmercure. En effet, selon l'Agence, l'apport en méthylmercure est inférieur à la dose journalière tolérable (la « dose journalière tolérable » est la quantité de substance qui peut être quotidiennement ingérée par le consommateur sans effets néfastes pour sa santé, définie par l'Organisation mondiale de la santé). Je dois dire que ce « aucun risque » de l'ANSES me laisse plus que sceptique. Car le mercure n'est éliminé dans les selles qu'à 95 %. Il s'accumule donc en petite partie dans notre organisme et, à force de manger du poisson à « dose tolérable » chaque jour, où aboutit cette accumulation des 5 % restants ?

Au regard des bénéfices nutritionnels liés à la consommation de poisson (acides gras essentiels, protéines, vitamines, minéraux et oligoéléments), l'Agence recommande d'en consommer deux fois par semaine, dont les poissons gras (saumon, maquereau, sardine, anchois, truite fumée, hareng…) (mais en 2013, l'ANSES préconisait une seule consommation de poissons gras par semaine), de diversifier les espèces de poissons consommées, d'éviter à titre de précaution de consommer les poissons les plus contaminés : requins, lamproies, espadons, marlins (proche de l'espadon) et sikis (variété de requin), de limiter la consommation de poissons susceptibles d'être fortement contaminés (baudroies ou lottes, loup de l'Atlantique, bonite, anguille et civelle, empereur, hoplostète, grenadier, flétan de l'Atlantique, cardine, mulet, brochet, palomète, capelan de Méditerranée, pailona commun, raie, grande sébaste, voilier de l'Atlantique, sabre argent et sabre noir, dorade, pageot, escolier, rouvet, esturgeon, thon) à 150 grammes par semaine pour les femmes enceintes et allaitantes et à 60 grammes par semaine pour les enfants de moins de 30 mois [208].

De son côté, le Biodiversity Research Institute et ses partenaires ont effectué près de 26 000 prélèvements dans les zones de pêche autour du globe et le constat est inquiétant. La liste de la consommation des poissons qu'il dresse diffère quelque peu de celle de l'ANSES :

Les poissons qui ne devraient pas être mangés :

Certaines espèces de poissons ne devraient tout simplement pas être consommées, comme le marlin, le maquereau roi, l'espadon et le thon rouge du Pacifique, qui, paradoxalement, fait l'objet de ventes à des prix record pour alimenter quelques restaurants japonais spécialisés dans les sushis. Bien que ce soit du dernier cri, manger des sushis au thon rouge n'est donc vraiment pas recommandé.

Les poissons qui ne devraient être consommés qu'une fois par mois :

D'autres espèces ne devraient être consommées qu'une fois par mois, c'est le cas des autres espèces de thon dont le thon albacore que l'on retrouve dans les boîtes si communes, de l'hoplostèthe orange, du mérou, du merlu (le thon, important prédateur des mers, est donc à mon avis à proscrire).

Les poissons qui peuvent être consommés une à deux fois par semaine :

Le bar, l'anchois, le chinchard, la sardine et le flet peuvent être consommées une fois par semaine (mais pas davantage), et deux fois par semaine : le hareng, le maquereau tacheté, le mulet, la morue. J'y ajoute la sole (pour le moment).

Les poissons qui peuvent être consommés sans restriction :

Selon ce rapport, l'aiglefin et le saumon sont les deux espèces de poisson qui présentent le moins de mercure et peuvent donc être consommés librement [209].

Je reste très sceptique néanmoins sur le cas du saumon, grand prédateur, qui doit être examiné en détail, selon qu'il est pêché en mer, ou bien issu d'élevage, ou d'élevage bio. Une étude de *Que Choisir* montre que « sur 23 saumons fumés, les quatre qui cumulent les niveaux les plus élevés en produits toxiques sont les 3 saumons fumés bio et la référence Label rouge. On retrouve deux fois plus de mercure et quatre fois plus d'arsenic dans certains échantillons bio que dans les conventionnels. » La cause en est le mode d'alimentation du saumon : « l'alimentation des poissons d'élevages conventionnels fait la part belle au végétal (céréales, soja, huile de colza), tandis que celle des saumons bio et Label rouge est particulièrement riche en ressources d'origine marine (50 % contre 15 à 30 % dans le conventionnel[210]). » On peut aussi se tourner vers les saumons labellisés « MSC » (Marine Stewardship Council), dont la certification est basée sur le code de la FAO, qui ne participe pas à la surpêche. Pour assurer sa production, on capture des sardines, des anchois sauvages, ensuite transformés en farines et en huiles. Selon une étude de l'ONG Bloom, 90 % des captures réduites en farine sont parfaitement comestibles[211]. (Mais je conteste ce point : les farines issues de « captures », donc de poissons, sont également chargées de mercure.) Une autre étude récente de l'*UFC-Que Choisir* présente une conclusion différente : ils préconisent « les saumons d'élevage non labellisés, qui présentent moins de métaux lourds car nourris avec des farines végétales. Mais à cause de ce régime, ils reçoivent plus d'antibiotiques[212] ». Qu'est-ce qu'on préfère ? Les antibiotiques ou le méthylmercure ?

Quant aux mollusques et crustacés, les moules, pétoncles et palourdes et autres mollusques bivalves, ils peuvent être consommés sans restriction (dommage, j'ai horreur de ça), au contraire du

— Bip. Vos préférences alimentaires n'intéressent personne.

Évidemment qu'elles n'intéressent personne ! Comme si je ne le savais pas ! Mais c'est de l'inopiné, et je conserve l'inopiné. Il ne me laisse même pas le temps de finir ma phrase.

... au contraire du homard américain qui ne devrait être consommé qu'une fois par mois. Mais d'autres sources indiquent que les crustacés, les moules et les huîtres sont chargés de mercure. Une dernière chose à vous dire : ne nous jetons pas pour autant sur la sole ou la morue ! Car dans ces listes figurent des poissons en voie d'extinction que l'on doit éviter de consommer : parmi les plus connus, le cabillaud (ou morue), le saumon sauvage de l'Atlantique, le thon rouge, la sole... Selon la FAO, « plus des trois quarts des espèces de poissons sont surexploitées ou exploitées à la limite du raisonnable [213] ». J'y ajoute, en zone atlantique, le bar, les dorades rose et sébaste, le flétan, le grenadier, le merlu, la raie, le turbot [214].

Je fais un court écart, sortant quelques instants du domaine de notre alimentation, pour m'occuper de nos dents et en finir avec le mercure. Les amalgames dentaires au mercure (ils en contiennent 50 %) utilisés pour « plomber » vos caries sont toxiques. Ils libèrent du mercure en permanence sous forme de vapeurs, qui s'accumule dans le cerveau, les reins ou le foie... Depuis 2018, la France les a finalement interdits, mais (et revoilà ce « mais » !) « uniquement pour les enfants de moins de 15 ans, les femmes enceintes et celles qui allaitent leur enfant », alors que d'autres pays les ont entièrement bannis [215]. Le mercure de ces plombages continue chaque jour à se diffuser dans l'organisme des adultes, bien qu'en très faible quantité. Bref, refusez ce type d'amalgame car il existe des alternatives.

Et je reprends le panorama de notre alimentation. Vous voyez que je ne perds pas mon fil en dépit des mécontentements de mon Censeur.

Comme si ce n'était pas assez, au mercure s'ajoutent dans les poissons l'arsenic et le cadmium (et toujours pour les curieux, des dioxines et des polychloro-biphéniles). La revue *60 millions de consommateurs* a analysé 130 produits de la mer parmi les plus consommés. Qu'il s'agisse de thon en boîte, de filets frais ou surgelés, de bâtonnets de surimi, de noix de Saint-Jacques ou de rillettes et autres terrines, les résultats sont sans appel : tous sont contaminés [216]. Oui, c'est encore une des grandes réussites de l'homme.

Du côté des légumes et des fruits, le spectacle est peu réjouissant, et cela vous le savez aussi. On nous serine encore que pour être en bonne santé, il faut manger 5 fruits et légumes par jour. Ils m'amusent. Car quels fruits ? Quels légumes ? L'association Générations Futures a analysé des fruits et légumes qui grouillent de pesticides. Selon son rapport, près de trois quarts des fruits et 41 % des légumes non bio portent des traces de pesticides quantifiables pouvant altérer notre santé et celle des agriculteurs [217].

Afin d'établir le classement inédit des fruits et légumes les plus contaminés, l'ONG a étudié les données recueillies entre 2012 et 2016 par la DGCCRF

(Direction générale de la concurrence, de la consommation et de la répression des fraudes) qui contrôle chaque année les traces d'insecticides et de fongicides dans les aliments au niveau des grossistes et des supermarchés. Ces analyses officielles ont permis à l'association de réaliser un classement de 19 fruits et 33 légumes non bio. Au total, ce ne sont pas moins de 11 103 échantillons qui ont été passés au crible en fonction des critères « présence de résidu de pesticides quantifiés » et « dépassement de LMR (limite maximale de résidus) ». Dans le haut du classement des 19 fruits étudiés, le raisin est le plus contaminé avec 89 % des échantillons contenant des résidus de pesticides quantifiables. Il est suivi de près par les clémentines/mandarines (88,4 %) et les cerises (87,7 %). Viennent ensuite les pamplemousses, les fraises (83 %) et les nectarines/pêches et oranges avec plus de 80 % des échantillons renfermant des résidus de pesticides. Puis, avec plus de 75 %, les pommes, les abricots, les citrons, et les poires atteignant 74,4 %. Entre 64,8 % et 52,1 %, on trouve les citrons verts, les ananas, les mangues, les papayes, les bananes, les framboises et les groseilles. Les fruits les moins affectés sont les prunes/mirabelles (34,8 %) puis les kiwis (27,1 %) et les avocats (23,1 %). Pire encore, l'étude révèle que certains fruits *dépassent les limites maximales de pesticides autorisés en Europe* : 6,6 % des échantillons de cerises, 4,8 % des mangues et des papayes, et 4,4 % des oranges. Pour le reste donc, les fruits pesticidés sont estimés « comestibles ».

Côté légumes, parmi les 33 espèces étudiées, le plus atteint est le céleri branche avec 84,6 % des échantillons testés qui contiennent des résidus de pesticides (je m'en fous, j'en mange pas).

— Bip. Vos préférences…
— Oui ça va, j'ai compris.

Il est suivi de près par les herbes fraîches (74,5 %), l'endive (72,7 %), le céleri-rave (71,7 %) et la laitue (65,8 %). Entre 60,5 % et 51,5 %, on trouve les piments, poivrons, pommes de terre, haricots, pois (non écossés) et poireaux. Entre 49,7 % et 41,3 %, les melons, carottes, tomates, concombres, courgettes. Entre 39,4 % et 30,8 %, les radis, aubergines, blettes, épinards, champignons, pastèques. Entre 29,5 % et 19 %, les artichauts, navets, choux pommés, brocolis. Suivis par les potirons, oignons, patates douces et choux-fleurs.

Les légumes les moins contaminés sont les betteraves (4,4 %), les madères-ignames (3,3 %), les asperges (3,2 %) et le maïs (OGM ?) (1,9 %). De même que pour les fruits, les herbes fraîches, le céleri branche, les blettes et le navet *dépassent le seuil légal de résidus de pesticides* fixé par l'Union européenne. Le reste est comestible.

J'ai conscience que ces listes de pourcentages sont pénibles à lire mais elles vous serviront à mieux choisir vos fruits et légumes. Regardez aussi leur provenance : inutile de consommer des produits ayant parcouru 10 000 km en avion, car leur empreinte carbone est lourde. Il vaut beaucoup mieux manger des fruits et légumes dits « de saison », et cultivés dans votre propre pays.

L'association Générations Futures alerte aussi sur la présence de plusieurs pesticides dans un même aliment. Un « effet cocktail » inquiétant, d'autant plus que l'ONG ne nous informe pas sur la quantité ni sur la nature des pesticides retrouvés dans les fruits et légumes. Cancérogène, perturbateur endocrinien ou dangereux pour le système nerveux, les effets néfastes de ces substances toxiques dépendent du type de pesticide et des produits chimiques qu'ils contiennent. Malgré les limites de cette étude, liées au manque de données de la DGCCRF, l'association révèle que 38 % des échantillons analysés en 2016 présentaient deux résidus ou plus de pesticides différents[218].

La conclusion tombe sous le sens : *il nous faut tourner le dos à ces produits issus de l'agriculture « conventionnelle » et acheter des fruits et légumes bio*, donc de saison, ayant peu voyagé (économie de CO_2), et qui ne contiennent pas ou très peu de pesticides (dans ce cas, les pesticides sont importés par les cultures avoisinantes). Ils sont de plus en plus faciles à trouver et le nombre de magasins de produits bios augmente à vue d'œil, pas seulement dans les villes mais aussi dans les bourgs ruraux. Ce mouvement s'amplifiera grâce à la pression des acheteurs. Mais pour le moment, c'est vrai, ils sont plus chers, et tout le monde ne peut pas se le permettre. C'est aux gouvernants de s'en mêler et de subventionner ces produits afin que chacun puisse consommer ces fameux « 5 fruits et légumes par jour ». Mais je n'y crois pas. En contrepartie de cette dépense en bio, pensons que nous économiserons beaucoup en réduisant nos achats de viande et de charcuteries, de mangues et de kiwis venus de l'autre bout du monde, nos voyages en voiture, notre consommation d'électricité, nos achats de vêtements en surplus, etc.

Ah, n'oublions pas ce bon vieux vin !

Les vignes, en France, utilisent quelque 65 000 tonnes de pesticides par an. Fongicides surtout, mais aussi insecticides, herbicides, etc. En 2013, *Que Choisir* a analysé 92 vins et 100 % contenaient des pesticides. Résultat : *le vin recèle en moyenne 300 fois plus de pesticides que l'eau potable.* Beaucoup d'échantillons mélangeaient 9 ou 10 molécules différentes, un bordeaux de marque connue en contenait 14 dont une interdite en France. Dans un autre bordeaux on trouvait un pesticide avec une teneur 3 364 fois plus élevée que la norme appliquée à l'eau potable ! Une étude antérieure parvenait à un résultat plus inquiétant encore : un autre résidu de pesticide équivalait à 5 800 fois la dose autorisée dans l'eau. Et pourquoi ? *Parce qu'aucune norme ne limite la teneur du vin en pesticides !* Pourtant, leur usage est en principe réglementé dans les vignes. *Mais il n'existe pas de contrôles a posteriori sur le produit fini !* Incroyable, mais logique. Eh oui… je l'ai dit, le vin, parce que nerf de la guerre de l'économie française, on ne peut pas y toucher ! La France, réputée dans le monde entier pour ses vins, ne va pas renoncer à la manne financière que représentent ses ventes et ses exportations ! La course à l'Argent, toujours, et peu importe que nous ne soyons pas informés !

Une fois le vin en cuve, le producteur ajoute encore d'autres produits. Une soixantaine d'additifs sont autorisés… Et surtout des produits chimiques : polyvinylpolypirrolidone, ferrocyanure de potassium, carboxyméthylcellulose… (je vous fais grâce de la liste complète de ces additifs, elle est accessible sur le site de la Commission européenne). Mais aucun de ces produits ne figure sur l'étiquette de la bouteille, bien entendu. La procymidone, classée cancérogène, reconnue comme toxique et perturbateur endocrinien par l'Union européenne, a été trouvée dans plusieurs vins français et italiens [219]. On le savait, cela ? Mais non bien sûr.

Bruxelles a déjà beaucoup peiné à imposer la mention des sulfites (additifs dérivés du soufre) sur les étiquettes. Il a fallu que l'ANSES en France signale en 2011 un dépassement des doses journalières admissibles pour que la situation évolue un peu. L'ANSES pointait des risques toxicologiques – allergiques notamment – et recommandait de réduire les doses de sulfites. Cela a-t-il été fait ? On voit en effet à présent la mention « contient des sulfites » sur les étiquettes, sans rien préciser sur leur quantité [220]. Voilà tout. Enfin, le vin contient aussi, selon la revue scientifique *Chemistry Central* (2008), des métaux lourds à des niveaux dangereux pour la santé.

Il ne faut donc pas s'étonner que le vin, même bu à dose raisonnable, soit accusé d'être cancérogène « possible ou probable » par l'Institut national du cancer [221]. Que boire trop de vin soit mauvais pour la santé, cela, bien sûr qu'on le savait. Mais à l'éthanol s'ajoute l'effet de tous ces produits chimiques.

Là encore, une fois de plus, tournons-nous vers le vin bio : aucun pesticide de synthèse n'est autorisé pour sa production. Mais restons attentifs : pour prévenir le mildiou, principale maladie de la vigne, les vignerons utilisent du cuivre comme fongicide (c'est le cas aussi dans les cultures maraîchères, pommes de terre, tomates, cucurbitacées...). S'il est déposé en excès, il s'accumule dans la terre, provoquant des effets néfastes sur la vie des sols, les mammifères et la faune aquatique. Fin novembre dernier, la Commission européenne a proposé une forte restriction avec une dose limite de 4 kilos par an et par hectare, ce qui risque de mettre les producteurs de vin bio en difficulté[222]. Une petite étude portant sur 29 vins bio (il n'existe pas encore de recherche d'envergure sur le sujet) montre que tous contiennent du cuivre, mais à des doses très en dessous des limites sanitaires[223]. C'est déjà ça.

Pour prévenir l'oïdium, les viticulteurs utilisent du soufre. Avec précaution car le vin bio est, lui, exigeant sur la teneur maximale en sulfites. Beaucoup ont recours aux huiles essentielles de plantes.

Pour lutter contre les insectes nuisibles, une population de prédateurs est entretenue dans la vigne[224].

Bien sûr, les vins bio ne se conservent pas longtemps, et leur goût est parfois surprenant. Sans doute celui des vins du Moyen Âge. C'est un peu un voyage dans le temps, dans ce temps que, rétrospectivement, on se prend à envier sous bien des rapports. Je ne parle pas ici bien sûr de l'extrême pauvreté de la majorité des gens, des froids de l'hiver, des disettes, des épidémies ou de la courte espérance de vie, mais de ce temps où l'homme vivait en symbiose obligée avec la nature, où rien n'était pollué, ni air ni eaux ni sols, où les porcs, lâchés dans les rues empuanties des villes, faisaient office d'éboueurs, où les chats errants dératisaient les habitats, où les excréments des animaux n'étaient pas perdus mais amendaient les sols agricoles, de ce temps pré-industriel. On en retrouvera au moins le goût avec le vin bio (pas si pur que cela, donc), mais aussi avec les fruits et légumes bio qui, vous l'avez sûrement remarqué, s'abîment vite, preuve de leur culture naturelle. Au lieu qu'on puisse pour beaucoup de ceux de l'agriculture « conventionnelle » les conserver durant des semaines. Il n'y a pas trente ans, une barquette de framboises moisissait le soir même de son achat, c'était un fruit précieux, à consommer vite. Aujourd'hui, les framboises – achetées en plein automne ! – semblent durer de manière inexplicable. À croire qu'elles sont en plastique.

Et que dire du pain, des céréales et des pâtes ?

Deux comités d'experts ont analysé plus de 2 000 échantillons de pain entre 2000 et 2013[225]. J'hésite, car je crains déjà de vous avoir déjà gâché votre apéritif au comptoir ou votre bouteille remontée de la cave. Vais-je aussi vous gâcher votre petit-déjeuner ? Allez, j'y vais tout de même, au point où nous en sommes, ne nous dégonflons pas, ne fermons pas les yeux ! Ces experts ont constaté que le taux des produits de boulangerie contenant des résidus de pesticides a plus que doublé au cours des 12 dernières années : il est passé de 28 % en 2001 à 63 % en 2013. Quand je vous disais qu'on était très forts... Quand je dis « on », je parle bien sûr du lobby agroalimentaire, lui, toujours lui. De toute façon, je l'ai dit, avec la dramatique pénurie d'eau qui nous menace d'ici quelques années, il devrait fatalement se casser la gueule, ce serait une excellente nouvelle.

— Bip. « Casser la gueule » fait partie du vocabulaire grossier. Reculez immédiatement.

Je sais. Je maintiens quand même, et vous voyez très bien ce que je veux dire. Mais je reviens à mes céréales. Plus de 60 % des échantillons de pain non biologique contenaient des résidus de pesticides et 17 % en contenaient plusieurs types. De son côté, l'association Générations Futures a fait analyser une trentaine d'échantillons de céréales pour petit-déjeuner, de légumineuses et de pâtes. *Plus de la moitié contiennent du glyphosate*, le pesticide phare du géant Bayer-Monsanto, classé comme probablement cancérogène par le CIRC, et 7 céréales de petit-déjeuner sur 8 en contiennent aussi. La proportion est nettement plus faible pour les pâtes [226]. Le fameux « bon bol de céréales » du matin pour les enfants en prend un sacré coup. Et voilà, j'ai gâché votre petit-déjeuner, mais je pressens que vous vous y attendiez, ce n'est pas une surprise. Le glyphosate est en principe interdit, mais la France vient d'autoriser son utilisation pour trois années de plus. C'est ainsi que d'année en année… nous en sommes là.

Pour se résumer sur les produits d'origine végétale – fruits, légumes, céréales, épices… –, en 2016, dans le cadre des « plans de surveillance et de contrôle », 5 274 échantillons mis sur le marché français ont été analysés. Les laboratoires ont recherché la trace de 474 substances actives différentes. Sur l'ensemble des échantillons analysés, 2 945 présentaient une teneur en résidus de pesticides quantifiable. La DGCCRF a trouvé un taux résiduel supérieur à la limite maximale autorisée dans 354 d'entre eux. Malgré tout, seulement 197 ont été déclarés non conformes et les autres laissés sur le marché[227]...

Là encore, on aboutit à la même conclusion : *il nous faut acheter, si on le peut, des produits bio.* C'est ainsi qu'après avoir lancé une lourde attaque sur le lobby agroalimentaire en réduisant notre consommation de viande et en bannissant la charcuterie, nous détenons aussi pour tous ses autres produits (fruits, légumes, vin, pain, céréales, pâtes et autres), Nous, les Gens, un très puissant levier entre nos mains, capable de modifier les pratiques agricoles et, là encore, d'économiser l'eau, de réduire la pollution des sols et des eaux, l'acidification des pluies, le dégagement des gaz à effet de serre, et de bénéficier à notre santé.

Et, oui, je dois ajouter à cet inventaire une liste de quelques aliments dont il vaut mieux se priver :

Le sucre

Selon une étude du WWF, *le sucre est l'une des cultures les plus nocives pour la planète.* En occupant des habitats riches en vie animale, végétale et en insectes, cette plantation détruit le plus de biodiversité dans le monde. En plus de son utilisation intensive d'eau et de pesticides (la production d'un seul morceau de sucre blanc requiert 10 litres d'eau[228] ! On considère tout de suite d'un autre œil notre bol de thé ou café du matin !), la culture intensive de la canne à sucre ou de la betterave provoque aussi une forte érosion des sols. Celle de la canne appauvrit la terre au point qu'en Papouasie-Nouvelle-Guinée par exemple, les sols utilisés pour la cultiver ont perdu 40 % de leur teneur en carbone organique… Bref, la production intensive de sucre est une autre plaie pour l'environnement, et selon le WWF il est temps d'envisager une culture plus durable et surtout de penser à réduire de beaucoup notre consommation (qui, en plus, est responsable de l'épidémie d'obésité en Occident, aux États-Unis, au Canada, au Mexique[229]…).

Le chocolat

Le cacaoyer est une plante qui ne pousse que dans certaines zones autour des forêts équatoriales. Elle demande elle aussi beaucoup d'eau : il faut 2 400 litres d'eau pour faire 100 grammes de chocolat ! Résultat, aujourd'hui, la culture du cacao fait peser une forte pression sur les écosystèmes. Ces dernières années, avec l'augmentation incroyable de la demande en cacao, les prix ont décollé. De ce fait, de plus en plus de petits producteurs se mettent au cacao, abandonnent leurs cultures traditionnelles et, surtout, détruisent les forêts équatoriales afin de pouvoir le planter. La déforestation dans ces zones (Côte d'Ivoire, Ghana, Indonésie) affecte la biodiversité locale. Par exemple, en Indonésie, une étude Mighty Earth sur les impacts du chocolat estime que 9 % de la déforestation liée aux cultures agricoles est due à la culture du cacao, qui menace entre autres les orangs-outans, les rhinocéros ou les tigres. Et non, je ne vais pas vous reparler de cet orang-outan qui se coiffait d'une salade, ou bien mon Censeur va griller ses fusibles, ce n'est pas le moment, il faut économiser l'énergie. Ce n'est pas tout ! Le chocolat a subi des dizaines de transformations avant d'arriver entre nos mains : fermentation, torréfaction, broyage, ajout de lait, de graisses végétales, de sucre ou de lécithine de soja et autres texturisants. Tous ces processus alourdissent de beaucoup son impact environnemental.

Le café

Le café, c'est un peu la même histoire que le chocolat. Il est cultivé dans des zones de forêts très sensibles et très riches en biodiversité. En théorie, c'est une plante qui pousse à l'ombre des arbres, mais pour que la production intensive soit plus simple (et plus rentable), une part de plus en plus importante du café est aujourd'hui cultivée en pleine lumière, moyennant souvent une déforestation intense, une utilisation de pesticides et d'eau, une érosion des sols. Une étude menée en 2014 constatait qu'aujourd'hui la production était à son pire niveau en termes d'impacts environnementaux.

Là encore, ce n'est pas une fatalité, si l'on choisit un café cultivé à couvert, dans un programme certifié de protection de la forêt. Cela existe. Mais tous les producteurs ne se sont pas encore lancés dans cette voie, loin de là. À nous encore, les consommateurs prétendument aveugles, de les y obliger. Si l'on ne veut plus de leur café dévastateur, force leur sera de modifier leurs pratiques. C'est là, une fois encore, notre belle puissance : être un consommateur qui dit « non ».

Le soja

Revoyons plus en détail ce soja dont on a déjà parlé au fil des pages. 330 millions de tonnes de graines de soja sont produites chaque année dans le monde. 150 millions de tonnes servent à fabriquer les 30 millions de tonnes d'huile de soja produites chaque année pour l'alimentation humaine (c'est l'huile la plus utilisée dans le monde), et une bonne partie sert aussi à nourrir le bétail industriel. Le reste sert à la production des aliments comme le tofu, le lait de soja, les pousses de soja.

Ce soja, en plus de contribuer lui aussi à la déforestation, a de nombreux impacts environnementaux. La production d'huile nécessite de recourir à des processus industriels lourds, et d'utiliser des quantités importantes de solvants chimiques comme l'hexane, qui contribuent à des pollutions locales et produisent des gaz à effet de serre. Les déchets issus de cette production servent à nourrir le bétail, et ils augmentent les émissions de méthane gastrique. La production de tofu et autres protéines de soja n'est pas non plus anodine. *Au final, le soja est donc lui aussi un aliment très nocif pour l'environnement*[230]. Il nous faut donc lui aussi le proscrire.

Auparavant, on se servait de miel comme édulcorant, ce qui pourrait remplacer notre sucre. Mais que vaut ce miel aujourd'hui ? Rien. 198 échantillons provenant de toute la planète ont été analysés par l'Université de Neuchâtel en Suisse pour y détecter la présence des cinq principaux pesticides néonicotinoïdes. 75 % des miels contenaient au moins une des cinq substances recherchées. « S'il est quasiment vain, ajoutent les chercheurs de Neuchâtel, d'attendre une réaction responsable de nos élus, nous pouvons manger plus sainement en privilégiant les produits alimentaires d'origine biologique[231]. »

Ces pesticides, vous le savez, sont mortels pour les abeilles. Leur survie suscite une forte mobilisation, c'est dire l'importance vitale de cet insecte – pardonnez-moi de si souvent répéter ce mot de « vital », mais il n'y en a pas d'autres. Dans les années 1990, les ruches enregistraient une mortalité de l'ordre de 3 % à 5 %. Mais cela, c'était avant la mise sur le marché de ces sacrés néonicotinoïdes (Monsanto, toujours...). En une quinzaine d'années, ces taux ont atteint 30 %. Un phénomène qu'on appelle « syndrome d'effondrement des colonies d'abeilles ». Cette année, les pertes sont montées à 60 %, voire 90 % de la population ! En France, *près de 30 % des colonies d'abeilles disparaissent chaque année*[232]. Mais les abeilles ne sont pas les seules concernées. Derrière le drame de leur disparition, on assiste à un déclin spectaculaire de tous les types d'insectes *pollinisateurs* européens, soit plus de 2 000 espèces d'abeilles sauvages, bourdons, papillons, syrphes, etc. Or ces espèces assurent la reproduction et la survie de 78 % des variétés de plantes à fleurs et d'arbres de nos territoires *et de 84 % des espèces que nous cultivons pour notre alimentation.* En Europe, les populations d'insectes ont chuté de près de 80 % en moins de trente ans. Une perte dramatique. Avec pour conséquence, en France par exemple, une disparition d'1/3 des populations d'oiseaux, qui n'ont plus d'insectes pour se nourrir[233] [234]. Très timorés, nos gouvernants s'effacent depuis des années devant le puissant lobby agrochimique (Bayer-Monsanto) qui produit ces terribles pesticides.

En 2013, l'Union européenne avait cependant restreint *provisoirement* l'usage de substances parentes des néonicotinoïdes comme l'imidaclopide, la clothianidine, le thiamétoxame ou encore le fipronil. Et l'Assemblée nationale a *enfin* osé voter une interdiction des néonicotinoïdes à partir de 2018, y compris du nouveau pesticide sulfoxaflor, tout aussi nocif. Ce sulfoxaflor, dernière invention du lobby agrochimique pour tenter de contourner la loi, affecte aussi les bourdons, qui engendrent 54 % d'insectes reproducteurs en moins : moins de mâles… et aucune reine [235] ! Et cette année (février 2019), l'ANSES elle-même vient d'autoriser en France la nouvelle classe de pesticides SDHI, d'une extrême dangerosité pour la santé humaine, pouvant modifier la structure de notre ADN, déclencher des anomalies génétiques, des cancers, des encéphalopathies, etc. [236]. Je l'ai dit, et nous savions déjà les liens qui unissent les lobbies et les politiques. Mais voici une confirmation : le 11 mars 2019, la chaîne de télévision France 2 a reconnu après enquête que l'allié du futur parti du président Macron au Parlement européen était financé par la firme Bayer-Monsanto, qui produit ces terribles substances tueuses [237]. Je ne fais pas ici un procès *ad hominem*, il en va ainsi de tous les gouvernants influents de ce monde.

Ce qui nous amène tout droit à l'alarmant problème général des pesticides.

Le terme « pesticides » rassemble les insecticides, les fongicides et les herbicides. On en répertorie pas moins de 600 ! Les pesticides peuvent avoir des effets toxiques aigus et/ou chroniques tant sur les écosystèmes, notamment aquatiques, que sur l'homme. Près de ces 600 pesticides ont été recherchés en France dans les différents échantillons d'eau prélevés dans le cadre du suivi de la qualité des eaux souterraines [238]. Eh bien aujourd'hui, la quasi-totalité de ces eaux est contaminée par l'utilisation massive de pesticides sur des décennies [239]. Des décennies, c'est formidable, non ? Ils sont majoritairement utilisés en agriculture pour la protection des récoltes (et nous voilà de retour à notre lobby agroalimentaire) mais également, ne le négligeons pas, pour l'entretien des jardins.

Les désherbants utilisés par les particuliers entraînent eux aussi une pollution des eaux liée au ruissellement. Sans en avoir conscience, beaucoup de jardiniers – ou de nettoyeurs d'allées de graviers ou de rampes de garages – sont donc responsables d'une part de la pollution des eaux, ainsi que les collectivités locales ou les infrastructures de transports (bords de routes et de voies ferrées). C'est pourquoi ces herbicides n'étaient plus en vente libre en France depuis janvier 2017. Et au 1er janvier 2019, la vente des pesticides chimiques a été interdite aux particuliers.

C'est bien mais c'est très peu, puisque ce sont surtout les éleveurs-agriculteurs qui répandent le plus de ces produits chimiques [240]. Une étude de l'*UFC-Que Choisir* (2017) a dénoncé le nombre croissant de cours d'eau et de nappes phréatiques contaminés par les pesticides et les nitrates. L'agriculture intensive a augmenté l'usage de ces produits de 18 % en 5 ans. Ils sont présents dans les cours d'eau à des doses *supérieures à la norme autorisée* dans la moitié du territoire français. Formidable aussi, non ? Depuis le temps qu'on le sait, et qu'on ne fait rien ! La contamination est profonde et touche 31 % des nappes souterraines. En bref, cet élevage-agriculture industriel aboutit à une intense pollution des eaux due pour 70 % aux pesticides et 75 % aux nitrates (issus des engrais azotés). Il en est très sûrement de même dans les autres pays riches, qui pratiquent une agriculture du même type. Eh bien, je me répète : *tourner le dos à ces viandes et à ces produits végétaux industriels pesticidés est un impératif pour la sauvegarde de notre eau, en même temps que nous portons un rude coup au lobbies pétrochimique et agroalimentaire. Que Choisir* précise que « 96 % des consommateurs boivent une eau de très bonne qualité mais au prix d'une coûteuse dépollution. Un non-sens puisque la prévention coûte trois fois moins cher que la dépollution [241] ».

Alors allons-y, parlons de cette eau potable indispensable à la vie : je l'ai déjà dit, je m'en souviens très bien – ne croyez pas que je me répète sans m'en rendre compte ! –, *l'agriculture productiviste, via l'irrigation, est le premier consommateur d'eau douce de la planète avec 70 % des prélèvements (et jusqu'à 95 % dans certains pays en développement !*) contre 20 % pour l'industrie et 10 % pour le logement et les bureaux. Mais c'est monstrueux, gigantesque ! On a vu aussi la quantité d'eau astronomique que demandait la production d'1 kilo de viande de bœuf (13 500 litres, ça doit faire trois fois que je le dis tant cela me sidère et me choque. Je vous avais prévenus que j'allais enfoncer le clou et en effet, je ne ménage pas mes coups de marteau...). Celle d'1 litre de lait requiert 1 000 litres d'eau, d'un seul morceau de sucre blanc 10 litres, d'1 litre d'eau en bouteille 7 litres et d'1 kilo de coton 5 263 litres ! Un régime alimentaire occidental consomme environ, du début de la chaîne jusqu'à nos assiettes, *4 000 litres d'eau par jour*, contre 1 000 litres d'eau pour un régime alimentaire chinois ou indien. *Le développement de l'agriculture biologique à l'échelle mondiale permettrait de nourrir l'ensemble de la population présente et à venir* (jusqu'à 11 milliards d'habitants sans doute) avec un moindre déplacement des paysans vers les villes tout en gérant au mieux les ressources en eau [242].

Je vous livre ici le long et très complet rapport du CNRS sur ce sujet très critique de l'eau : vous allez voir que c'est assez suant, je fais mon possible pour le condenser, vous pouvez le sauter, ou le lire en diagonale, *mais cette question du manque d'eau à venir, imminent, est trop essentielle pour que je ne la documente pas.* Car des solutions existent et, comme je le répète depuis le début de ce petit livre, mieux vaut *savoir.* Je suis bien sûre que la question de *savoir* ce qu'il nous restera à boire vous obnubile à présent autant que moi.

Selon le CNRS donc, face à une population de 8 milliards d'habitants en 2025, la quantité moyenne d'eau douce disponible par habitant et par an va chuter, c'est logique, de 6 600 à 4 800 m^3, une réduction de presque un tiers. Et si la tendance actuelle à l'augmentation des prélèvements en eau se poursuit, *en raison de l'élevage intensif et de l'agriculture liée*, entre la moitié et les deux tiers de l'humanité devraient être en situation dite de « stress hydrique », je le répète encore, *c'est-à-dire de manque d'eau en 2025*, seuil d'alerte retenu par l'Organisation des Nations unies (ONU) et correspondant à moins de 1 700 m^3 d'eau douce disponible par habitant et par an. *Le risque d'une pénurie d'eau douce existe donc bel et bien.* Le facteur déterminant de l'approvisionnement futur de l'humanité en eau douce sera donc *l'irrigation pour les terres agricoles*. Voyez, on en revient toujours là, *et il ne nous reste plus que 6 ans pour mettre fin à cette irrigation délirante qui met toute l'humanité en péril.* Autrement dit, seul un changement radical de la distribution d'eau pour les cultures et le bétail nous sauvera de cette pénurie [243]. Je crois que nous n'avons pas le choix, pas vrai ?

Il est possible d'agir de deux manières, aussi indispensables l'une que l'autre et complémentaires, *en économisant l'eau, grâce à une bonne maîtrise de la consommation, et en protégeant les écosystèmes des déséquilibres de tous ordres*. Et j'ajoute inlassablement en me répétant : *en tournant résolument le dos, Nous, à la consommation de viande industrielle et aux cultures « conventionnelles »*.

Outre le gigantesque prélèvement d'eau par l'agriculture actuelle, une grande partie de l'eau d'irrigation est perdue par fuites et évaporation, jusqu'à 40 à 60 % en Afrique. Les marges de progrès sont donc potentiellement énormes dans ce domaine. *Réaliser ne serait-ce qu'une économie de 13 % des prélèvements agricoles permettrait d'épargner l'équivalent de la consommation mondiale des ménages !*

L'usage de techniques d'irrigation nouvelles, pratiquées en agriculture biologique, comme *l'aspersion par gicleurs, rampes ou jets, le goutte-à-goutte, ou encore l'irrigation à l'aide de canaux souterrains*, devra donc se généraliser, et très vite. Ces techniques se sont déjà beaucoup répandues dans les zones arides.

Les industriels (responsables de 20 % des prélèvements globaux) devront eux aussi s'efforcer de développer des technologies plus sobres en utilisant une eau de qualité moindre pour les usages qui ne nécessitent pas de l'eau potable.

Les économies d'eau concernent aussi la consommation domestique (10 % des prélèvements globaux). On estime qu'aujourd'hui, en France, 15 à 25 % de l'eau potable consommée dans un immeuble est perdue pour cause de fuites, aux robinets ou aux toilettes. Cela peut paraître dérisoire de s'occuper d'un robinet qui goutte ou de toilettes qui suintent. Mais vous allez être épatés : un robinet qui fuit gâche 100 à 300 litres d'eau par jour ! Et une chasse d'eau qui suinte 500 à 1 000 litres par jour ! Soit une perte de 219 000 à 474 500 litres par an ! Vous vous rendez compte ? C'est énorme ! Courage, changeons le joint du robinet au plus vite ! Par le passé, j'ai su réparer seule pas mal de chasses d'eau qui fuyaient. Aujourd'hui, impossible, je n'y arrive plus, ce qui me contrarie vivement : la faute à « l'obsolescence programmée » – vous connaissez cela : nous vendre un équipement qui cassera dans les cinq ans à venir. Si bien que les chasses d'eau sont à présent équipées de très fins éléments en plastique souple, qui se rompent. Force est d'appeler un

— Bip. Le lecteur n'a rien à faire de vos maigres compétences en matière de chasses d'eau.

Le voilà à nouveau réveillé. Mais je suis bon prince, je reconnais qu'il n'a pas tort, je sortais du sujet et j'y retourne donc aussi sec. Fuites aussi dans les canalisations des parties communes, sans parler des pertes dans les réseaux d'adduction et de distribution. L'entretien et la réfection des réseaux dans le monde et des installations domestiques est donc indispensable, ça tombe sous le sens[244].

Un autre moyen pour économiser l'eau consiste à la *recycler* : la même eau peut servir plusieurs fois à des usages différents, voire au même usage. Dans les pays développés, certaines industries recyclent déjà leurs eaux, qui circulent en circuit fermé. Le recyclage des eaux domestiques est aussi possible, et les Japonais l'ont déjà développé dans les régions où l'eau est rare.

Les eaux domestiques usées peuvent aussi être réutilisées pour l'irrigation, après un traitement assez léger. En Israël, 70 % des eaux d'égout sont ainsi recyclées, et permettent de subvenir à plus de 16 % de l'ensemble des besoins du pays. Aux États-Unis, des villes comme Los Angeles, Tucson et Phoenix recyclent elles aussi une partie de leurs eaux usées ; Saint Petersbourg en Floride *recycle quant à elle la totalité de ses eaux, sans rien jeter à la mer ni dans les fleuves.*

Selon le CNRS toujours, l'existence même des milieux aquatiques doit être préservée. Un couvert végétal suffisant doit être maintenu en milieu rural, afin d'éviter le dessèchement des terrains et de freiner le ruissellement de l'eau et l'érosion des sols. Boiser ou reboiser les rives des cours d'eau permet de les protéger de la pollution diffuse : intercalées entre les cours d'eau et les parcelles cultivées, ces zones boisées éliminent naturellement les nitrates issus de ces parcelles. Les zones humides (dont voici une définition – je ne vous épargne rien ! : terrains habituellement inondés ou gorgés d'eau douce, salée ou saumâtre de façon permanente ou temporaire ; la végétation, quand elle existe, y est dominée par des plantes hygrophiles pendant au moins une partie de l'année[245]), les zones humides donc, dont la surface diminue constamment par suite du drainage et de la mise en culture des terres, doivent également être préservées. Elles jouent un rôle essentiel dans le stockage des eaux en crue.

C'est long, hein ? J'essaie d'aller au plus vite et de vous présenter rapidement toutes les actions possibles ou déjà en cours.

Il devient urgent de remettre en cause les grands aménagements hydrauliques aux effets parfois catastrophiques, c'est-à-dire les grands barrages (émetteurs de méthane, issu de la décomposition des déchets végétaux dans les eaux stagnantes). Certaines mesures sont prises dans les pays industrialisés, comme le maintien d'un débit d'eau minimal et l'aménagement de « passes » à poissons. Or il n'est pas toujours besoin de recourir à d'immenses barrages pour stocker l'eau : la construction de petits barrages en terre de faible hauteur peut être parfois suffisante. En Inde, les eaux de ruissellement qui ne s'infiltrent pas sont récupérées dans de tels petits barrages.

On peut également stocker l'eau dans des cavités naturelles. Ce stockage souterrain de l'excédent d'eau dans de profonds réservoirs aquifères a déjà prouvé son efficacité. À Londres, une part du flux hivernal des fleuves est mise en réserve dans les roches aquifères sur lesquelles repose la ville, ce qui a freiné l'abaissement de la nappe phréatique. Cette technique est aussi utilisée en Arizona[246].

Enfin (et ensuite je vous laisse en paix avec l'eau, enfin presque), on pense bien sûr à dessaliniser l'eau de mer pour la rendre potable, au point où on en est. Mais les différentes technologies de dessalement – dans leur forme actuelle – ne peuvent pas répondre aux besoins d'approvisionnement en eau à travers le monde. Aujourd'hui, 150 pays (sur 197 reconnus par l'ONU) disposent d'infrastructures permettant de transformer l'eau de mer en eau douce. Cependant, le marché du dessalement demeure concentré dans certaines zones géographiques et quelques pays disposent de la grande majorité des capacités mondiales. En 2013, les dix pays les plus équipés en usines de dessalement de l'eau de mer cumulaient environ 40 % des capacités mondiales de dessalement[247].

Le principe de l'osmose inverse (vous ne saviez pas ce que c'est ? Moi non plus : il purifie l'eau par un système de filtrage très fin qui ne laisse passer que les molécules d'eau[248]) s'est rapidement imposé dans la majorité des projets récents, notamment grâce à sa plus faible consommation énergétique (que les usines thermiques). En Arabie Saoudite, premier pays producteur d'eau dessalée au monde avec 5,5 millions de mètres cubes traités par jour (soit 60 % de l'eau douce consommée dans le royaume), la répartition des technologies est équilibrée. Mais la consommation énergétique de ce traitement demeure colossale. La Saline Water Conversion Corporation évoque un besoin équivalent à

350 000 barils de pétrole par jour pour assurer la conversion d'eau salée en eau douce ! Et donc, la dessalinisation est trop dépendante des énergies fossiles [249].

À l'évidence, une fois encore, mieux vaut ne pas polluer plutôt que de chercher à réparer les effets de la pollution.

Vous n'en pouvez plus ? Tenez bon, j'en ai bientôt fini !

Les avis divergent sur les « bonnes pratiques » à mettre en œuvre dans le secteur agricole. Pour les tenants d'une agriculture dite raisonnée, cela consiste à apporter les quantités exactes de produits (eau, engrais ou pesticides) dont les plantes ont besoin. Mais les tenants de l'agriculture biologique condamnent cette façon de penser qu'ils estiment fondée sur les mêmes critères de rentabilité et de compétition qu'aujourd'hui (ce qui à mon sens est assez exact : notre modèle actuel n'est plus viable, même au prix d'aménagements). Ils préconisent de revoir entièrement les modes de production.

Les réserves mondiales en eau des nappes souterraines représentent 97 % de toute l'eau douce disponible sur les continents. Elles doivent donc impérativement être protégées. Certains experts préconisent la création de parcs naturels hydrogéologiques, soit de vastes espaces de terres non cultivées mais entretenues, dont la fonction essentielle serait de préserver les nappes d'eau ayant une qualité irréprochable. De telles réserves existent déjà : en France, la ville de Saint-Étienne a acquis plus de 800 hectares de terrains où la forêt protège plus de

54 kilomètres de drains qui fournissent une partie de la ville en eau potable ; en Belgique, dans la région des Ardennes, les eaux d'infiltration d'une source minérale sont protégées avec des précautions draconiennes ; en Australie, des parcs naturels interdits au public existent autour des réservoirs de stockage des eaux superficielles destinées à la fabrication d'eau potable [250]. C'est bien peu, mais c'est un petit début encourageant, ne négligeons aucun signe positif.

Apprendre à économiser l'eau impose une révolution des mentalités, notamment dans les pays industrialisés (révolution, le mot est dit, et cette fois pas par moi, mais par le CNRS...), où l'eau est d'un accès si facile qu'on s'est accoutumé à la consommer sans retenue. Il s'agit donc de responsabiliser tous les usagers de l'eau, et Nous aussi, les Gens, nous pouvons bien sûr agir. On a vu ce qu'il en était des fuites dans nos habitats qui peuvent atteindre des quantités considérables. Il existe encore d'autres façons de diminuer de 20 à 30 % notre consommation d'eau : acheter des appareils ménagers économes – lave-linge, lave-vaisselle et W-C. Et – ce ne sont des détails dérisoires qu'en apparence – ne pas faire tourner notre lave-linge ou lave-vaisselle à moitié vides, ne pas laisser couler l'eau quand on se brosse les dents, prendre des douches plutôt que des bains, faire attention quand on lave sa voiture ou que l'on arrose son jardin (tard le soir pour éviter l'évaporation) [251].

J'aimerais vous parler de deux géants de l'industrie qui consomment des quantités d'eau astronomiques, vous serez sidérés : la firme Nestlé tout d'abord, qui utilise 800 millions de litres par an [252] !

Et bien entendu, il y a le scandale de Coca-Cola, qui donne lieu à de nombreuses pétitions, et dont vous avez sans doute entendu parler : Coca-Cola s'approprie depuis trop longtemps les nappes phréatiques à travers la planète et cela dans le plus grand silence des médias.

La fabrication d'un litre de Coca-Cola nécessite, selon les sources, 2,5 à 6 litres d'eau (écart qui tient compte sans doute de la quantité d'eau dans le Coca). Au Mexique par exemple, l'usine Coca-Cola de San Cristobal extrait 750 000 litres d'eau par jour, soit plus de 250 millions de litres par an ! Alors que 12 millions de Mexicains n'ont pas accès à l'eau potable. Faute d'eau, les habitants boivent... du Coca-Cola, dont la vente a explosé dans le pays. Il est ainsi devenu le premier consommateur au monde de Coca, consommant à lui seul 42 % de tout le Coca-Cola bu en Amérique latine. Et bien sûr cette consommation est l'un des facteurs de l'épidémie de surpoids et d'obésité qui frappe le Mexique : *70 % de la population est en surpoids*, dont 33 % d'obèses et 13 % de diabétiques.

La compagnie Coca-Cola a entre autres reçu l'autorisation de la Commission nationale de l'eau (les gouvernants mexicains sont donc très responsables de cette situation) pour pomper dans la région du Chiapas *500 millions de litres d'eau par an* ! Cela assèche les villages alentour, ceux raccordés au réseau n'ont plus rien au robinet et ceux habitués à vivre de l'eau des puits les voient se vider de plus en plus. Plusieurs associations dénoncent la catastrophe environnementale et humaine que représente l'usine [253] [254]. Le groupe américain pompe dans le pays 50 nappes d'eau, dont 15 sont surexploitées [255].

En Inde, c'est 1,5 million de litres d'eau que la firme extrait chaque jour. Coca-Cola vide également les nappes aquifères d'Indonésie, de Malaisie et de certains pays d'Afrique, privant là aussi les populations de l'accès à l'eau potable.

Sans terres à cultiver par manque d'eau, les communautés autochtones ne peuvent faire pousser de légumes et ne peuvent plus manger à leur faim ni gagner leur vie en vendant leurs productions agricoles. Ils consomment alors du Coca, pas cher, pour tromper la faim, et les bouteilles plastiques s'accumulent. Chaque année se déversent 2 910 tonnes de déchets plastique que Coca-Cola ne ramasse pas ni ne réutilise ; sans parler du problème des « boues toxiques » produites par ses usines. Ces boues résultent de la préparation des boissons et comportent en général de forts niveaux de déchets industriels toxiques tels que le plomb, le cadmium et le chrome (tous cancérogènes), et ces déchets sont déversés dans la nature sans être traités [256]. Directement, hop, ni vu ni connu. Seulement maintenant, c'est connu.

La consommation annuelle de Coca-Cola est estimée à 350 milliards de litres, tous continents confondus ! Ce qui revient à (donnez-moi une seconde, je fais mon calcul, je me concentre), une prédation de 2 100 milliards de litres d'eau potable par an ! Ou de 770 milliards si je retiens le chiffre de 2,5 litres d'eau utilisée. Alors que la pénurie menace l'humanité dans 6 ans !

Tout cela est choquant, scandaleux, indécent, je manque de mots. Je vous assure qu'une fois qu'on le sait, on a du mal à commander un Coca au café. En réalité, instinctivement, on ne le fait plus.

Mais bon sang, ne peut-on donc pas vivre sans boire du Coca-Cola ? Bien sûr que si. Au vu de sa prodigieuse consommation d'eau, mieux vaudrait s'en passer pour protéger les pays en souffrance et l'eau en grand danger.

Certes Coca-Cola évolue, mais n'a toujours pas fixé des objectifs assez élevés pour compenser son impact sur l'environnement et les populations. Une compagnie avec tant de moyens (41 milliards d'euros de chiffre d'affaires annuel, tout de même) peut sans difficulté muter et s'impliquer pour le respect et le partage des ressources. C'est peu de dire qu'on le souhaite ardemment.

Bon, un ultime effort et on en termine, tout noyés que nous sommes par cette affaire d'eau que

— Bip. Vous recommencez avec vos jeux de mots imbéciles, « noyés »/« eau », faites demi-tour immédiatement.

Rien à faire avec lui, hein ? Vous avez noté que pendant que j'égrenais le dossier du CNRS, il s'est quasiment tenu coi. Mais à la moindre incartade bénigne, il sonne l'alerte. Vraiment pas le genre de gars avec qui on aimerait sortir dîner.

… tout noyés que nous sommes par cette affaire d'eau que nous ne savons même plus s'il faudrait plutôt boire de l'eau minérale ou de l'eau du robinet. Je parle ici des pays riches car au Brésil ou en Turquie, par exemple, on ne boit pas l'eau du robinet.

Nos eaux minérales sont depuis longtemps vendues en bouteilles en plastique, dites en « PET ». Pour vous assurer d'acheter un type « PET » et non un autre plastique, il vous suffit d'examiner le fond de la bouteille : il présente, au-dessus de l'inscription « PET », un pictogramme triangulaire, contenant un chiffre (de 1 à 7). N'achetez pas le type 7. D'un point de vue environnemental (mais l'on reviendra bien sûr sur la folle pollution des plastiques), et en comparaison avec le verre ou le PVC, le PET a de loin l'empreinte écologique la plus faible, tant en termes d'émissions de gaz à effet de serre (CO_2) que de consommation des ressources naturelles et d'énergies non renouvelables. Plus léger, il est moins énergivore lors de sa fabrication et de son transport. Il n'est pas biodégradable, évidemment, mais 100 % recyclable. À ce jour, c'est le matériau le plus recyclé au monde. Une fois triées, les bouteilles d'eau ont droit à une seconde vie. Elles peuvent servir à fabriquer de nouvelles bouteilles mais également des objets du quotidien très éloignés de l'usage d'origine : stylos, vêtements, vaisselle, oreillers [257]... Obligeons-nous à être très vigilants sur ce tri : je ne suis pas bien rassurée sur ce point dans les pays développés, sachant qu'un Français sur deux seulement trie ses déchets ! Si bien que seuls 49 % des bouteilles sont recyclées, ce n'est pas assez [258].

Mais (il y a toujours un « mais », c'est très contrariant) : d'après l'étude menée par France Libertés et la revue *60 millions de consommateurs*, des polluants ont été retrouvés dans 10 bouteilles d'eau sur les 47 examinées. Je n'ai ici que des données sur la France mais il n'y a aucune raison qu'il en diffère ailleurs vu que ces mêmes bouteilles sont utilisées partout. Il s'agit de microtraces qui ne seraient pas nuisibles pour la santé de l'homme mais c'est une situation qui pose cependant la question de la pureté de l'eau en bouteille. Les éléments retrouvés sont des pesticides et des médicaments, mais pas dans toutes les marques. Nous ne devons pas oublier que nos bouteilles en plastique – qui reviennent cher à la consommation – polluent considérablement nos sols et nos océans [259]. Ajoutons que les bouteilles en PET peuvent larguer des traces de trioxyde d'antimoine, cependant dix fois inférieures à la norme européenne.

Et pourquoi ne pas boire tout simplement l'eau du robinet ? En France – comme dans tous les pays riches –, elle est très contrôlée, et sa qualité fait l'objet d'un suivi tout au long de son trajet, des sources jusqu'aux robinets, selon une soixantaine de critères, par les agences régionales de santé (ARS). (Vous pouvez vous informer auprès de votre mairie sur le détail de la composition de votre eau et sur son pourcentage de nitrates.) Qui plus est, l'eau du robinet est économique : elle est 100 à 300 fois moins chère que l'eau en bouteille pour le consommateur.

Enfin, grand avantage, elle a moins d'impact sur l'environnement : la consommation d'eau en bouteille correspond à environ 10 kilos de déchets par an et par personne. Soit, pour la seule petite France, 670 millions de kilos de déchets plastiques uniquement dus à l'eau minérale… C'est beaucoup ! Boire l'eau du robinet permet une économie de ressources (pas besoin d'emballage) et de pétrole (le plastique de la bouteille est un dérivé du pétrole et l'eau en bouteille parcourt en moyenne 300 kilomètres [260]).

Il me semble que, à tous points de vue, le choix que nous devons faire est clair…

Arrivés à ce point, voyons ce qu'il en est de l'immense pollution de la Terre, des rivières, des fleuves et des mers par les plastiques, une des grandes causes de la mortalité des poissons et des cétacés.

Mauvaise nouvelle : la Commission de l'environnement du Parlement européen a convenu d'une définition du « plastique à usage unique » qui permettrait aux pollueurs de commercialiser leurs produits en plastique polluants jetables comme s'ils étaient des produits réutilisables. Nos gouvernants sont décidément formidables et, une fois de plus, cela va être à Nous d'agir. D'autant que la lutte contre les plastiques polluants rejoint celle contre l'accélération du dérèglement climatique. L'Agence internationale de l'énergie a indiqué que *le principal facteur de croissance de la demande mondiale en pétrole dans les 10 à 15 prochaines années est la pétrochimie – en d'autres termes et entre autres produits : le plastique*[261].

Le plastique est increvable, c'est sa principale qualité mais pas son moindre défaut (pourquoi diable l'a-t-on inventé ? Encore une de ces époustouflantes idées de l'homme, jamais en peine quand il s'agit de dérailler et de massacrer la nature). On en produit 10 tonnes chaque seconde dans le monde et notre addiction à ce plastique a des conséquences désastreuses pour l'environnement et pour notre santé. Autant que faire se peut, limitons nos achats en plastique, ustensiles, assiettes, gobelets, emballages, etc.

La Coca-Cola Company vante en même temps « un monde sans déchets » à l'horizon 2030 ! Dans onze ans ! On blague ou quoi ? À cette date, en théorie, chaque bouteille de Coca sera composée de 50 % de plastique recyclé (c'est cela, un monde sans déchets[262] ?), c'est trop peu et on n'y croit pas. Car en 2008, la firme s'était engagée à incorporer 25 % de plastique recyclé dans ses bouteilles dès 2015 ; mais un responsable d'usine de recyclage a reconnu qu'elles n'en contiennent guère que 7 % aujourd'hui, comme indiqué par Greenpeace[263]. Peut-on leur faire confiance ? La réponse est non, pas vraiment…

Extrêmement préoccupante est la pollution des océans par l'invasion du plastique (mais on reviendra sur nos océans, soyez-en sûrs). La masse de plastique qui y est déversée depuis 1950 est d'environ 200 à 300 millions de tonnes[264]. D'ici 2050, au rythme actuel, il y aura plus de plastique que de poissons dans ces océans ! Or le plastique n'est pas biodégradable, on le sait. Ce qu'on sait moins, ou pas du tout, c'est qu'il se décompose dans l'eau en morceaux de plus en plus petits, jusqu'à former une « soupe » que les animaux marins avalent. Avec à la clé des étouffements et intoxications. Cela vaut pour les animaux (poissons, oiseaux) aussi bien que pour les humains qui ingèrent au bout du compte ces microplastiques. À leur tour, ces microplastiques se dégradent en particules encore plus petites, invisibles à l'œil nu. Un seul débris de microplastique peut produire plusieurs centaines de milliards de nanoparticules de plastique, c'est dire leur nombre dans l'océan ! Les amateurs de fruits de mer avaleraient ainsi jusqu'à 11 000 particules chaque année… Bien dommage, n'est-ce pas ? Et, on ne s'en doutait pas, enfin moi pas, *plus d'un tiers des particules de microplastique proviendraient des textiles synthétiques de nos vêtements*, selon Greenpeace, et *laver en machine 6 kilos de ce linge libérerait quelque 500 000 fibres de polyester et 700 000 d'acrylique* ! Extraordinaire, non ? Sachant qu'en France, 20 millions de machines tournent chaque jour, imaginez le résultat... 24 millions de microparticules partant dans les eaux usées par jour, et il ne s'agit que de la France ! Le lavage de nos vêtements en fibres synthétiques largue 500 000 tonnes de plastique dans l'océan par an (soit l'équivalent de 50 milliards de bouteilles en plastique...). Mais il existe des actions possibles encore méconnues : mettre le linge dans une pochette spéciale qui retient 90 % des fibres (produit allemand Guppyfriend) ou bien choisir une machine à laver équipée spécialement d'un nouveau système de filtre[265]. L'autre solution étant bien sûr d'essayer de revenir à des vêtements tout coton, lin, soie ou laine, bref en fibres naturelles. Bien que produire 1 kilo de coton demande 5 000 litres d'eau... Ce qui donne sérieusement à réfléchir. Et puisque nous en sommes aux vêtements, là aussi, attention !

— Bip. Vous en étiez au plastique. Faites demi-tour immédiatement.

— Mais bon sang je ne l'oublie pas, mon plastique, je sais où j'en suis tout de même ! C'est juste une incise.

L'association France Nature Environnement (FNE) indique que l'industrie textile puise dans les ressources de la planète et émet 1,2 milliard de tonnes de gaz à effet de serre par an ! Par ailleurs, 20 % de la pollution des eaux mondiales seraient imputables à la teinture et aux traitements de nos textiles[266]. *Or [dans les pays riches] nous consommons en moyenne 60 % de vêtements en plus qu'il y a 15 ans*, dont 50 à 70 % ne sont pas utilisés, et nous les conservons beaucoup moins longtemps. En 2017, 2,6 milliards de pièces d'habillement et d'accessoires ont été vendues en France, alors que nous sommes 67 millions d'habitants. (Ici, même chose, ce qui vaut pour la France vaut pour les pays riches équivalents.) Il y a donc là aussi une surconsommation folle. La FNE recommande de *limiter nos vêtements à 30 pièces dans notre armoire*. C'est bien suffisant. Et quant à ceux qu'on ne porte plus, ne les jetons surtout pas mais donnons-les aux organismes de collecte[267]. Réduire nos achats de vêtements, c'est donc aussi porter un coup au lobby de l'industrie textile et à ses milliards de tonnes de gaz à effet de serre.

Ce plastique, donc, (vous voyez bien que je suis ma route) est présent sur 88 % de la surface des océans, même dans les zones les plus reculées. Ces déchets vont jusqu'à former ce fameux « septième continent » : dans l'océan Pacifique, le plastique, poussé par les courants marins, forme une gigantesque décharge de la taille de trois fois la France, qui mettra des années à disparaître (400 à 450 ans pour les sacs et bouteilles plastiques, mille ans pour le polystyrène[268]...)[269]. Tous les ans, 100 000 mammifères marins et 1 million d'oiseaux meurent à cause du plastique[270].

Il nous faut savoir aussi que 5 milliards de sacs en plastique sont utilisés chaque année dans le monde[271]. Là aussi Nous pouvons agir : nous devons absolument aller faire nos courses avec nos propres sacs, en coton si possible, faciles à replier et à transporter dans nos sacs à main ou à dos. Ce n'est pas du bricolage à la petite semaine, c'est un acte très important. Aux sacs plastique jours distribués en France dans les magasins, non dégradables, comme chez Darty par exemple qui les offre à profusion), aux emballages, aux ustensiles, aux pailles, aux gobelets et assiettes, aux bouteilles, ajoutons les mégots de cigarettes, qui constituent une source importante de pollution des eaux. Je dois dire que je ne le savais pas. Les filtres à cigarettes se dégradent lentement – un à deux ans en moyenne. Mais l'un de leurs composants, l'acétate de cellulose, est un plastique qui met plus de dix ans à se décomposer (ou de un à deux ans selon d'autres sources : laquelle croire ?). Selon le « Cigarette Butt Pollution Project », la majorité des 5 600 milliards de cigarettes fabriquées chaque année sont dotées de ces filtres, et les deux tiers finissent dans la nature, la mer et les océans. Si l'on ajoute à cela le fait qu'un seul mégot peut polluer jusqu'à 500 litres d'eau, l'ampleur du désastre est évidente. Autre fait pénible, au cours de ces 30 dernières années, 32 millions de mégots ont été ramassés sur les plages du monde, en faisant le détritus le plus répandu. En France, ce sont entre 30 et 40 milliards de mégots qui sont jetés chaque année. En outre, les mégots sont difficiles à recycler. Bourrés de substances chimiques (près de 4000) dont une cinquantaine sont réellement toxiques, comme la nicotine, les mégots doivent être « dépollués » avant de pouvoir être recyclés. En France, quelques entreprises tentent de s'attaquer au problème, et l'une d'elles a déjà recyclé plus de 10 millions de filtres. D'accord, c'est un « petit geste », très loin d'être suffisant au niveau mondial, mais novateur et encourageant.

À cela, Nous pouvons remédier en partie : il n'est pas compliqué, dans la rue, de ne pas jeter son mégot par terre. Des milliers de poubelles sont disponibles, qui présentent une surface sur laquelle éteindre sa cigarette avant de jeter le mégot dans le sac (plastique). Dans la nature, sur la plage, il n'est pas difficile non plus d'utiliser un cendrier portable [272]. Et de ne pas vider son cendrier de voiture dans le caniveau. Moi, non informée, j'avoue que je jetais mon mégot dans le caniveau... Depuis que je sais, je suis horrifiée de voir les gens balancer leurs mégots n'importe où : ceci pour dire que l'on s'adapte très vite à de nouveaux comportements, et que les gens, une fois encore, ne sont pas informés.

Pour tenter d'améliorer la situation, des entrepreneurs engagés ont développé des actions afin de récupérer les déchets au sein des océans. Les initiatives ne cessent de se multiplier avec des aspirateurs, des écrans, des drones à voiles, et cela fait du bien de le savoir, même si on n'en est qu'au tout début.

Imaginé par un jeune Néerlandais, le projet « The Ocean Cleanup » part d'un constat simple : puisque le gros des déchets se concentre dans cinq grandes zones sur Terre – car poussés par les courants océaniques, ils s'agglutinent dans des lieux bien précis où ils forment ce « septième continent » –, il suffit d'aller les récupérer à ces endroits-là. Boyan Slat a ainsi conçu un système de barrages flottants de 1 à 2 km de long capables de retenir les détritus en un même endroit [273]. Un bateau passera ensuite régulièrement pour prélever la masse d'ordures et l'envoyer dans un centre de tri. Le projet a pour but de réduire *de moitié* la taille du plus grand de tous ces vortex (pardon, je vous donne la définition d'un « vortex », que je ne connaissais pas, mais vous oui peut-être : il s'agit « d'énormes tourbillons d'eau océanique formés par des courants marins » dans lesquels les déchets se retrouvent piégés[274]), situé dans l'océan Pacifique entre la Californie et Hawaï. D'abord en test dans la baie de San Francisco, ce plan devrait démarrer courant 2019. Le fondateur de The Ocean Cleanup espère récupérer 40 000 tonnes d'ici 2023.

Un skipper suisse a quant à lui imaginé le projet « Manta » : il s'agit d'un quadrimaran équipé d'éoliennes et de panneaux solaires, quasi autonome en énergie renouvelable et doté de trois collecteurs de déchets. Ceux-ci récupéreront les débris jusqu'à un centre de tri. Au total, le *Manta* pourrait transporter 250 tonnes de déchets plastiques à chacun de ses voyages. Si les fonds nécessaires sont réunis, le début de la construction est prévu en 2021 pour un départ sur les mers en 2023.

Julien Wosnitza a dans la même ligne créé le projet « Wings of the Ocean » (les Ailes de l'Océan), consistant à affréter un voilier pour récupérer les déchets plastiques croisés en chemin, en déployant des chaluts de surface, sans émissions de CO_2. Il devait partir en septembre 2018[275]. En cherchant bien, j'apprends que le voilier est bel et bien parti d'Amsterdam vers les îles Caïmans le 3 octobre 2018 mais qu'il est coincé à Cherbourg pour plusieurs semaines en raison d'une panne[276]…

Wosnitza sait évidemment qu'avec un seul bateau, son action sera limitée. C'est une action test. Mais il a des projets de plus grande envergure. Je le cite, plutôt que de le paraphraser : « Il faut savoir que 90 % des déchets en plastique qui atterrissent dans les océans viennent de 10 fleuves. Parmi ces fleuves, on retrouve le Niger, le Nil, l'Indus, le Gange, le Yangzi Jiang, le Mékong, l'Amour… Il faudrait se focaliser sur l'embouchure de ces grands fleuves et déployer des catamarans équipés de chaluts afin de collecter le plastique avant de le recycler. Il faudrait environ 30 catamarans plus 2 navires support pour chaque embouchure de fleuve. J'estime le budget de cette opération à 90 millions d'euros, ce qui est peu à l'échelle mondiale [277]. »

Et voilà une nouvelle très encourageante : des scientifiques de l'université britannique de Portsmouth et du ministère américain à l'Énergie ont concentré leurs efforts sur une bactérie découverte au Japon il y a quelques années : l'Ideonella sakaiensis. Elle se nourrit uniquement d'un type de plastique, le polytéréphtalate d'éthylène (PET), qui entre dans la composition de très nombreuses bouteilles. Les chercheurs japonais pensent que cette bactérie a évolué il y a peu dans un centre de recyclage, car les plastiques n'ont été inventés que dans les années 1940.

Des scientifiques de l'université de South Florida et de l'université brésilienne Campinas ont également effectué des expérimentations qui ont débouché sur la mutation d'une enzyme beaucoup plus efficace que la PETase naturelle (l'enzyme qu'utilise l'Ideonella japonaise). Ils s'activent désormais à en améliorer les performances dans l'espoir de pouvoir un jour l'utiliser dans un processus industriel de destruction des plastiques [278].

Enfin, on peut à présent avoir le réel espoir de fabriquer du plastique biodégradable : l'entreprise française Lyspackaging a conçu une bouteille biodégradable et compostable. Elle utilise la bagasse, le résidu fibreux de la canne à sucre, pour concevoir la « VeganBottle », ainsi que son bouchon et son étiquette. Mais attention ici à nouveau : ce bioplastique ne serait à développer que s'il n'entraîne pas, bien sûr, de déforestation pour planter de la canne à sucre.

Un étudiant islandais, Ari Jónsson, avait déjà conçu une bouteille biodégradable (et comestible !) en 2016, à base d'agar-agar (l'agar-agar est un composé naturel extrait de certaines algues marines et d'algues rouges. Il est utilisé depuis des siècles comme ingrédient culinaire au Japon et, plus récemment, en recherche en microbiologie [279]). Cette matière, mélangée à de l'eau, devient une pâte gélatineuse qui peut être moulée. Elle conserve sa forme tant qu'elle est pleine, puis elle commence à se décomposer une fois vide. Pour le moment, son principal inconvénient réside dans sa solidité et sa conservation. Trop fragile, le prototype n'est pas encore prêt [280]. *Mais, on le voit, la prise de conscience est en route et des actions pour le futur sont déjà presque opérationnelles.*

Grave question du plastique qui nous amène à nous baigner dans le problème des océans.

— Bip. Encore une fois un jeu de mots idiot, « baigner »/« océans ».

— Je me détends une seconde avant d'aborder la si inquiétante situation des océans ! J'en ai le droit, non ?

— Non.

Impitoyable, mon Censeur. Moi qui pensais qu'il était allé faire une petite sieste. Mais non, ce n'est pas le genre du tout.

Commençons par l'acidification de ces océans, qui n'est pas rien. Elle se produit lorsque le CO_2 atmosphérique est absorbé par l'eau. Cette eau en absorbe un tiers. Depuis le début de l'ère industrielle, l'océan a ainsi déjà englouti quelque 525 milliards de tonnes de CO_2. Si les émissions doivent se poursuivre au même rythme qu'aujourd'hui (et c'est hors de question), l'augmentation de l'acidité sera considérable. Selon les chercheurs, les niveaux d'acidité prévus pour 2100 n'ont pas été observés depuis la période du Miocène moyen, il y a environ 14 millions d'années (phase de réchauffement et de concentration de CO_2 [281]). Ils estiment que de forts changements et un déclin majeur de la biodiversité maritime – déjà amorcés – devraient être observés dès 2050 et plus encore d'ici 2100 [282].

À cette acidification s'ajoute la désoxygénation des océans. Car le réchauffement des eaux de surface qui les isole davantage des eaux froides profondes diminue leur oxygénation. Cette désoxygénation des océans est aggravée près des côtes, où les eaux polluées déversent des nutriments qui multiplient en surface le développement de phytoplancton et d'algues vertes. En mourant, ils augmentent la matière organique qui se dépose dans les profondeurs où vivent des bactéries aérobies, qui ont besoin d'oxygène. Nourries par ces dépôts, elles prolifèrent alors et consomment progressivement tout l'oxygène des eaux profondes, tout en produisant également du CO_2, qui aggrave l'acidité. Rendez-vous compte que de telles « zones mortes anoxiques », c'est-à-dire sans oxygène, où les espèces animales meurent asphyxiées, apparaissent dès aujourd'hui [283].

Le réchauffement des océans provoque par ailleurs une migration de nombreuses espèces de poissons et de mammifères marins pouvant atteindre 400 kilomètres par décennie, affectant leur reproduction et la distribution des espèces.

Les engagements mis en avant par les divers gouvernements sur les gaz à effet de serre ne sont pas suffisants pour rester bien en dessous de 2 °C d'augmentation de température en 2100. Ce qui aboutirait à une hausse de 2,7 °C à 3,5 °C d'ici 2100 (ou 2070, selon les sources). La température de l'eau s'élèverait alors de 2 °C à 2,6 °C tandis que l'acidité augmenterait. Il faut donc agir, et très vite.

Cette thématique sera d'ailleurs la troisième étape du sixième cycle d'évaluation du GIEC, avec la publication en septembre 2019 de son rapport spécial sur l'océan et la cryosphère (régions gelées de la Terre) dans le contexte du changement climatique [284]. Espérons, une fois de plus, une prise de conscience des gouvernants du monde : car surgit, avec le réchauffement climatique, l'immense problème de l'élévation du niveau des eaux. Et cela, peut-être, pourrait les effrayer enfin. Selon le rapport du GIEC 2018, si rien n'est fait pour limiter les émissions de CO_2, la hausse moyenne du niveau de la mer, provoquée par la fonte de glaces et par la dilatation de l'eau (car une eau plus chaude se dilate), atteindra 72 centimètres d'ici à 2100. Cette perspective est repoussée de 65 ans pour le scénario à +2 °C, et de 130 ans pour +1,5 °C [285]. Ceci de façon irréversible à moyen terme. En effet, le réchauffement de l'atmosphère met des dizaines d'années avant d'atteindre le fond des océans. Il se crée donc un phénomène thermique capable d'entretenir la montée du niveau des

océans pendant plusieurs centaines d'années
élévation de 65 centimètres du niveau des mers
en péril tous les habitants des îles, des littoraux et de grandes villes telles Londres, Miami, Sydney, Durban, New York et bien d'autres... De quoi donner sacrément à réfléchir ! J'ajoute que la fonte de l'Arctique et la fonte *complète* de l'Antarctique (cependant difficilement concevable en raison des si basses températures du centre de l'inlandsis, de l'ordre de -60 °C) entraîneraient une élévation du niveau des mers de 60 mètres !

Et elles fondent déjà, ces glaces, tant sur les glaciers, les neiges éternelles, que dans l'Arctique et l'Antarctique. Au-delà de 1,5 °C, la couche de glace recouvrant l'Antarctique ainsi que celle du Groenland pourraient fondre de manière intense. Au-delà de 2 °C, l'Arctique connaîtra un été sans banquise par décennie (GIEC 2018 [287] [288]). D'autres sources aboutissent à des conclusions plus alarmantes encore. Les glaciers de montagne continuent leur régression généralisée et devraient avoir tous disparu d'ici 50 à 100 ans, ce qui entraînera des *pénuries d'eau* pour des millions de personnes qui en sont tributaires. Ce sera sans doute le cas en Asie dans la région Hindu Kouch-Himalaya, où les glaciers fondent à une vitesse alarmante et qui s'accélère, menaçant l'alimentation en eau de fleuves majeurs comme le Gange et le Yangtze [289]. L'Arctique se réchauffe environ deux fois plus vite que la moyenne mondiale : 280 milliards de tonnes de glace y disparaissent chaque année. À ce rythme, la banquise devrait avoir complètement disparu dans les années 2050 [290].

Des scientifiques américains ont imaginé un plan – que j'estime très improbable, mais que je cite malgré tout – pour recongeler l'Arctique grâce à des pompes éoliennes. Un projet particulièrement coûteux mais qui pourrait venir en aide à la calotte glaciaire du pôle Nord : *installer dix millions de pompes alimentées par le vent au-dessus de la calotte glaciaire arctique.* Dix millions… L'objectif du plan est d'épaissir la calotte en hiver et donc réduire la fonte en été. Plus en détail, leur méthode consiste à installer ces pompes afin de transporter l'eau plus froide des profondeurs à la surface. Cette eau gèlerait alors plus vite. Selon ces chercheurs, le déploiement sur 10 % de l'océan Arctique de 10 millions de pompes éoliennes pourrait permettre de stopper la fonte dans les régions les plus fragiles et d'épaissir la surface gelée d'un mètre. Au-delà du coût (47 milliards d'euros par an sur 10 ans…), la fabrication même des pompes pose question. Elles devraient être équipées d'éoliennes de 6 mètres de diamètre, avec une masse d'environ 4 000 kilogrammes d'acier. Pour garder ce dispositif à flot, il faudrait une bouée contenant une masse équivalente d'acier. Et si des pompes étaient déployées dans tout l'Arctique, le coût s'élèverait à 470 milliards d'euros par an. Selon les chercheurs : « *Nous estimons que le déploiement sur toute l'Arctique en un an consommerait essentiellement toute la production d'acier des États-Unis, mais seulement 6 % de la production mondiale*[291]. »

D'autres scientifiques proposent la construction d'un mur, servant à empêcher les eaux chaudes d'entrer en contact avec la glace. Le problème apparaît en particulier lorsque la base sous-marine du glacier est grignotée par de l'eau plus chaude. Pour lutter contre ce phénomène, ils ont imaginé un mur haut de 50 à 100 mètres et long de 80 à 120 kilomètres qui serait capable de bloquer en partie l'eau chaude se trouvant au fond de l'océan [292]. On peut douter de l'efficacité de ce projet pharaonique, un mur de 120 kilomètres de long ne pouvant guère protéger l'Arctique.

Certains industriels, soyez-en sûrs, se frottent les mains en cachette (soigneusement enfermés dans leurs salles de bains) à l'idée de cette fonte des glaces de l'Arctique et de la possibilité des extractions minières et de pétrole qu'elles ouvrent, sans que leur avidité leur permette de concevoir la gravité de cette catastrophe. Preuve en est que l'an dernier, après le décrochement d'un énorme pan d'iceberg en Arctique, ouvrant une nouvelle voie maritime (les passages maritimes du Nord-Est et du Nord-Ouest se dégagent peu à peu [293]), la Bourse a aussitôt monté. De quoi désespérer ! Ces êtres existent. Ils font partie d'« Eux ». Sont-ils au moins conscients de ces 410 ppm de CO_2 que nous avons déjà atteints ? Ou bien n'en ont-ils rien à faire ? Sans doute. Mais pas Nous. Ce pourquoi je répète inlassablement que « Nous », nous devons faire tout notre possible pour enrayer les calamités à venir, et on va le faire, tenez le cap avec moi.

Quant à l'Antarctique, il a perdu 3 000 milliards de tonnes de glace en près de 25 ans, assez pour faire monter le niveau global des océans de presque 8 millimètres [294]. La tendance s'est accélérée de façon spectaculaire au cours des cinq dernières années. Depuis 2012, le continent perd 219 milliards de tonnes de glace par an.

Autrement dit, depuis cinq ans, les glaces fondent à un rythme presque trois fois plus élevé qu'avant. Recouverte à plus de 98 % par des glaces permanentes, l'inlandsis, l'île-continent entourée par l'océan austral, représente à elle seule 90 % des glaces terrestres et recèle la plus grande réserve d'eau douce de la planète. Le 31 janvier 2019, on a appris que de nouveaux relevés dans le glacier Thwaites (à l'ouest), victime du réchauffement des eaux profondes, ont révélé la disparition d'un gigantesque réservoir de glace « de près de 300 mètres de hauteur, suffisamment grand pour contenir 14 milliards de tonnes de glace », ceci en trois années. Si ce glacier venait à disparaître complètement, le niveau des océans s'élèverait d'environ 65 centimètres [295]. Sa fonte créerait une réaction en chaîne dans l'Antarctique ouest qui, « à terme », provoquerait une montée des eaux de plus de 2 mètres [296] !

Le temps est désormais compté, prévient une équipe internationale de chercheurs, selon qui il faudra agir *dans les dix ans qui viennent* si l'on espère sauver l'Antarctique et avec lui le reste de notre planète (mais cela fait 50 ans qu'il « faudrait agir dans les dix ans » !). Ces chercheurs ont travaillé sur deux scénarios extrêmes : dans le premier, les émissions de gaz à effet de serre continuent de croître. Alors, d'ici 2070, les températures pourraient s'élever de près de 3,5 °C par rapport à 1850 et le niveau des mers monterait de 25 centimètres. La température globale de l'océan augmentant, sa capacité à absorber le CO_2 atmosphérique diminuerait, accélérant encore le réchauffement climatique. Dans le second scénario, avec une hausse des températures limitée à 2 °C, la fonte ne contribuerait qu'à une élévation du niveau des mers de six centimètres. Les courants océaniques devraient être préservés, tout comme la capacité d'absorption de CO_2 [297]. Peut-on encore y croire, si l'inertie des gouvernants ne change pas ?

Hormis les glaciers de son littoral, le continent blanc, de 30 millions de km^2 et dont l'épaisseur peut atteindre 4 800 mètres par endroits, connaît des températures de -35 °C durant la saison d'été et de -70 °C en son centre pendant la saison hivernale[298], avec un nouveau record récent de -98 °C en son cœur. La fonte totale de l'inlandsis est donc – espérons-le – assez improbable.

J'aimerais tant vous laisser souffler, et souffler moi-même, je l'avoue, mais avec le réchauffement se pose le problème de la fonte du pergélisol (ou permafrost), une « bombe climatique à retardement », dit-on. Si le dernier rapport du GIEC l'a abordé, il n'a pas encore chiffré dans ses prévisions la hausse de températures que cette fonte va engendrer.

Le pergélisol est formé par des sols gelés qui occupent de 15 à 20 millions de kilomètres carrés, couvrant environ 25 % des terres de l'hémisphère Nord, en Russie, au Canada, en Alaska et au Groenland. Ils peuvent être composés de microlentilles de glace ou de grosses masses de glace pure, sur une épaisseur de quelques mètres à plusieurs centaines de mètres. Et ce qui fout un coup, c'est que ce sol renferme pas moins de 1 700 milliards de tonnes de carbone, soit environ le double du CO_2 déjà présent dans l'atmosphère, et d'énormes quantités de méthane[299]. Si ces deux gaz réchauffants s'échappaient du pergélisol, ils représenteraient l'équivalent de quinze années d'émissions de gaz à effet de serre actuelles (mais attendez, attendez, il y a quelques espoirs). Et le dégel de ce pergélisol, avec notre hausse actuelle de 1 °C de température, a déjà commencé, libérant progressivement méthane et CO_2. Enfin, selon une toute récente étude publiée dans le *National Snow and Ice Data Center*, les stocks de mercure enserrés dans le permafrost seraient deux fois plus importants que sur le reste de la Terre. Ils pourraient contaminer les océans et la chaîne alimentaire [300].

Pour garder espoir, les chercheurs comptent sur des « boucles de rétroaction négative », c'est-à-dire susceptibles d'endiguer le réchauffement climatique en captant une partie de ce carbone : « Il peut être sédimenté et piégé au fond des océans, même si on ne sait pas quelle fraction ce réservoir va absorber [301]. » (Mais pour le moment, le CNRS n'a d'assurance que sur les « boucles de réactions positives » : c'est-à-dire quand une modification du climat entraîne à son tour une autre modification, qui elle-même, etc. [302].)

Une étude récente sur la fonte du permafrost faisait état d'un risque de libération de 165 Gt de CO_2 (165 milliards de tonnes) avec 2 °C de réchauffement global d'ici 2100. Il s'agit d'une estimation moyenne, la fourchette allant de 73 Gt de CO_2 à 294 Gt. De quoi élever la température de 0,04 °C à 0,16 °C supplémentaires. Cette fourchette traduit les grandes variations dans les diverses estimations à ce jour [303].

Il existe aussi des visions plus positives. L'une vient de l'Institut de géologie de Moscou, qui démontre que « les amas d'hydrates de méthane ne réagissent que très lentement à un réchauffement climatique, soit avec un retard de 20 000 à 40 000 ans. D'ailleurs, les dégagements actuels, qui viennent d'être mesurés directement par une équipe américaine, semblent très faibles, le méthane émis se diluant dans l'océan ». Le méthane est aussi tributaire de la pression. Si les océans montent grâce au réchauffement, la pression d'eau plus forte le stabilisera en profondeur [304]. Mais cette étude a déjà 11 ans...

Enfin, une équipe de l'université de Princeton a étudié la fonte du pergélisol dans le nord du Canada. Cette équipe a mis en évidence qu'en fondant, ce sol gelé libérait des bactéries jusqu'alors inconnues. *Ces bactéries « consomment » le méthane et le réduisent en alcool.* Ce qui signifie que plus le permafrost fond, plus il est capable d'éliminer le méthane présent dans l'atmosphère. Cette autre rétroaction négative contribuerait à réduire l'effet de serre [305]. On peut néanmoins se demander : mais *quelles* bactéries ? Et où vont-elles aller ?

Je voudrais mentionner l'étonnante et très intéressante idée d'un géophysicien russe et de son fils qui, dans l'extrême nord-est de la Sibérie, essaient de recréer les écosystèmes de la dernière période glaciaire, achevée il y a près de 12 000 ans. Leur objectif : empêcher la fonte du permafrost. Pour la ralentir, les deux scientifiques tentent de faire baisser la température du sol en reconstituant l'ancien écosystème de la région arctique, fait de vastes prairies d'herbe entretenues par de grands herbivores. Et ces « prairies argentées » réfléchissent les rayons solaires, comme le fait la neige. « Elles permettent ainsi au froid de descendre plus profondément dans le permafrost » (Sergueï Zimov). Depuis 1996, Sergueï et Nikita Zimov réintroduisent ainsi au sein du « *Pleistocene Park* » des animaux tels que des chevaux, des yaks, des élans, des rennes, des bœufs musqués et des bisons pour brouter l'herbe, nourrir le sol, piétiner la végétation et repeupler la steppe. Obligés de se déplacer fréquemment pour éviter les loups et autres prédateurs, les animaux laissent le temps à l'herbe de repousser, ce qui permet à terme de développer une faune diversifiée. Jusqu'ici il semblerait qu'ils aient visé juste : là où les animaux paissent, la température du sol reste à environ -24 °C. Ailleurs, elle peut monter jusqu'à -5 °C, trop chaud pour maintenir le permafrost en l'état[306].

Le prochain projet de Sergueï et Nikita Zimov est de faire venir 12 bisons d'Alaska au sein de ce parc de 150 kilomètres carrés. Une campagne de financement participatif[307] a été lancée pour les aider à effectuer ce transfert[308][309]. Cette expérimentation, pilotée par la North East Scientific Station, une des principales stations de recherche de l'Arctique, est déjà en cours sur des milliers d'hectares dans l'Extrême-Orient russe.

Pour finir, la fonte du pergélisol associée au réchauffement du climat pourrait changer de manière radicale les sources et les puits de carbone (réservoirs naturels ou artificiels absorbant du carbone dans l'atmosphère) en terrain organique. Des résultats récents dans la région de Fort Simpson (Canada) ont suggéré que le stockage du carbone pourrait doubler suite au dégel du pergélisol (grâce à la capacité d'absorption des tourbières). Mais une fréquence accrue des incendies forestiers et de toundra (la fonte du pergélisol met la végétation à nu et entraîne un assèchement[310]) pourrait engendrer d'importants flux de carbone et accroître les quantités de gaz à effet de serre. Les recherches dans la vallée du Mackenzie (Canada) englobent des études du stockage et des flux du carbone dans les tourbières.

Certains scientifiques pensent que la hausse des températures pourrait favoriser le développement des plantes qui absorberaient alors plus de carbone. D'autres en revanche prévoient une diminution de cette absorption, selon la quantité émise [311].

Les estimations sur les effets de la fonte du permafrost restent encore, on le voit, très variables.

Ça va ? Vous tenez toujours le coup ? Parce qu'à moi, il est arrivé que je me prenne la tête dans les mains, mais des spécialistes de ces bouleversements ont expliqué que cet effet était normal et qu'une fois passé, vient le temps de l'*adaptation* (la faculté d'adaptation étant un des plus puissants ressorts psychologiques de l'homme), puis celui de la réaction et de *l'action*. Bon, s'ils l'ont dit, eux qui l'ont aussi vécu, ce doit être vrai. Et notre action sera grande, même s'il est hors de notre portée d'aller nous promener avec des micro-éoliennes sur l'Arctique ou le permafrost pour les refroidir.

— Bip. Vos états d'âme et vos plaisanteries ineptes n'intéressent personne. Vous dérivez, rectifiez immédiatement votre trajectoire.

Mon Censeur me sabre, j'en étais sûre, il ne me laisse jamais tranquille.

Cette fonte de l'Arctique nous amène à parler du Gulf Stream, que la modification des océans va affecter.

Dans l'hémisphère Nord, ce qu'on appelle la « dérive nord-atlantique », c'est-à-dire le courant chaud du Gulf

Stream, est en partie à l'origine du climat tempéré que l'on connaît dans l'ouest de l'Europe du Nord, cela, on le sait. Ce que l'on sait beaucoup moins, c'est que, selon les études de la revue scientifique *Nature* et de l'Université de Londres, ce Gulf Stream commence à ralentir. Sa circulation pourrait bien s'essouffler et engendrer un climat beaucoup plus froid sur l'Europe. Des observations multiples et concordantes montrent que ce système de courants s'affaiblit comme jamais au cours du siècle. En cause : la fonte de la calotte glaciaire du Groenland. Et voilà le travail. Au niveau de l'océan Atlantique nord, l'eau chaude du sud (donc plus légère) s'écoule vers le nord, tandis que l'eau froide du nord (donc plus lourde) s'enfonce dans l'océan vers le sud. On estime à 1 risque sur 2 qu'un tel phénomène de refroidissement se mette en place. Voyez que nous n'en sommes pas encore bien sûrs. Il se mettrait en place d'ici 20 ans et débuterait dans 10 ans. Cela se traduirait par un refroidissement très rapide de 2 °C ou 3 °C dans la région de la mer du Labrador – l'une des rares zones de la planète qui ne se réchauffe pas depuis le début des relevés planétaires de températures. Cet arrêt du Gulf Stream, irréversible, pourrait induire « de fortes baisses des températures dans les régions côtières de l'Atlantique nord » (CNRS, 2017). C'est la côte ouest de l'Europe (de la Grande-Bretagne à l'Espagne et au Portugal en passant par la France) qui perdrait 1 °C à 2 °C en moyenne (ou 3 °C), c'est davantage que le petit âge glaciaire qui sévissait sur l'Europe occidentale au XVIIe siècle, mais cela n'est pas comparable avec un âge glaciaire où les températures plongent en moyenne de 6 °C. On pourrait se dire « tant mieux, cela va freiner la hausse des températures ». Eh bien pas du tout. Les chercheurs estiment que ce refroidissement, localisé, n'aurait qu'un impact très faible sur la poursuite du réchauffement planétaire [312] [313].

Il ne faudrait pas croire pour autant que la France et ses voisins subiraient des hivers canadiens, car la situation géographique des deux continents est très différente. Les vents dominants sont orientés à l'ouest dans notre région, au lieu que le Québec est sous l'influence des masses d'air arctiques continentales glaciales. Et l'Europe de l'Ouest est sous l'influence des vents qui ont survolé l'océan Atlantique : même si celui-ci se refroidit, les masses d'air resteront quand même beaucoup plus douces qu'au Québec. Les simulations laissent penser que le refroidissement de l'Atlantique nord pourrait engendrer un froid hivernal plus rigoureux sur l'Islande et la Scandinavie.

Ce refroidissement de l'Atlantique nord et de la mer de Norvège donnerait lieu à des descentes d'air arctique plus fréquentes : les vagues de froid seraient plus nombreuses et l'enneigement abondant. Les étés seraient plus frais et plus humides en Europe de l'Ouest, tandis qu'ils resteraient chauds et orageux outre-Atlantique. Le nord-est des États-Unis ainsi que le Québec pourraient connaître des froids encore plus rigoureux avec une augmentation des tempêtes de neige : il devrait tomber en moyenne 50 centimètres de neige de plus en 2050 à Montréal (étude de l'université de Winnipeg [314]). La vague de froid exceptionnelle qu'a traversé en janvier 2019 le Nord-Est des États-Unis (jusqu'à –50 °C dans le Midwest [315]) en est-elle un signe avant-coureur ? (C'est idiot ce que je dis, je n'en suis pas sûre, je ferais donc mieux de me taire.) En tous les cas, Donald Trump ne semble pas comprendre que le bouleversement climatique, qui augmente la température de la Terre, peut également entraîner aussi en certains lieux des hivers beaucoup plus sévères.

Après ces lignes qui font tout de même froid dans le dos,

— Bip. De nouveau ce type de jeux de mots absurde et sans incidence sur le sujet. Supprimez-le immédiatement.

— Foutez-moi la paix, j'ai dit que je me détendais, et le lecteur avec moi.

… qui font tout de même froid dans le dos, je vous propose, ça nous fera du bien, de nous tourner vers des *actions positives,* dont nous avons déjà énuméré une bonne quantité au fil de ces lignes (et particulièrement *la fin de l'agroalimentaire intensif mortifère*, je n'aurai de cesse de le répéter ! Ça fait combien de fois que j'enfonce le clou ? 5 fois ?).

Je commence par la reforestation, c'est un sujet bien agréable à traiter quand on imagine des arbres repoussant de toutes parts, mais bon, ça ne se fait pas n'importe comment en plantant des arbres ici et là. Il nous faut respecter des stratégies précises pour que cette reforestation soit efficace et crée de nouveaux puits de carbone.

Les forêts sont des écosystèmes essentiels du cycle du carbone, on le sait. Elles couvrent une surface de 4 milliards d'hectares et séquestrent ainsi une très grande quantité de carbone par an, environ 3 milliards de tonnes soit 30 % du CO_2 émis par l'homme (si elles sont en bon état…). Il en faudrait plus, beaucoup plus.

On a vu que le cas de l'Amazonie, où il était prévu de planter 73 millions d'arbres, qui auraient reboisé 30 000 hectares d'ici 2023, est à présent soumis à la volonté du nouveau président élu à la tête du Brésil. Mais si nous réduisons *considérablement notre demande en viande, en biocarburants et en bois tropicaux, alors déforester l'Amazonie pour y cultiver des aliments pour les animaux, exporter l'huile de palme ou en vendre le bois n'aura plus aucun sens.* C'est notre espoir. Et au cas où il se réaliserait (on peut aussi espérer que Jair Bolsonaro ne sera pas réélu dans quatre ans), il serait possible d'utiliser la nouvelle technique « mucava ». Elle consiste à planter sur les hectares déforestés les graines de plus de 200 espèces d'arbres indigènes, collectées grâce à 400 acteurs locaux qui ont participé à la constitution d'un registre de graines.

Bien sûr, toutes les graines ne donneront pas naissance à un arbre. Mais le but est de les laisser s'épanouir, se nourrir les unes les autres puis, dans un mouvement de sélection naturelle, amener la graine la plus fortifiée à se transformer en arbre. L'avantage des espèces d'arbres indigènes est qu'elles sont très résilientes puisqu'elles sont capables de pousser jusqu'à 6 mois sans eau. D'ordinaire, « les techniques de reforestation arbre par arbre rapportent environ 160 arbres par hectare », explique Rodrigo Medeiros, en charge du programme brésilien chez Conservation International. « Mais avec la technique "mucava", on peut aller jusqu'à 2 500 arbres par hectare. Et après 10 ans, 5 000 arbres par hectare. »

Mais on est encore très loin de l'engagement formulé par le Brésil lors de la COP21 : reforester 12 millions d'hectares d'ici 2030 [316].

Une autre méthode a été développée par Akira Miyawaki, un botaniste japonais, qui permet de planter des forêts primaires, ou disons plutôt qui permet de se rapprocher de l'organisation des forêts primaires. Elle a déjà mené à replanter 40 millions d'arbres à ce jour. Sa technique est plus longue : elle commence par une sélection au sein d'une variété de plantes indigènes d'une région. Puis les graines germées sont plantées dans des pépinières, dans une disposition aléatoire afin de recréer la biodiversité naturelle. Les plantes atteignent deux mètres au bout de trois ans et sont alors transplantées.

La méthode de Miyawaki se révélerait plus efficace que les méthodes de reboisement classiques, en assurant un meilleur enracinement et une résistance accrue à des conditions météorologiques extrêmes. Ces nouvelles « forêts vierges » se développent plus vite grâce à l'interaction entre les plantes et, étant 30 fois plus denses, elles absorbent plus de CO_2, sans avoir besoin d'une intervention humaine une fois plantées.

J'espère que vous ne vous ennuyez pas trop avec ces méthodes de plantation, un peu quand même, c'est normal, mais je trouve qu'il est bien important de les connaître. Et je renouvelle donc mes excuses pour ces passages techniques (je me serai beaucoup excusée au fil de ce livre !). Écrivant des romans policiers, je fais instinctivement très gaffe à ne pas lasser mon lecteur, mais sur un tel sujet, je ne peux guère y couper, vous le comprenez bien.

— Bip. Mais enfin, vos histoires de romans policiers n'ont rien à faire ici. Faites demi-tour immédiatement.

Il n'aime même pas qu'on s'excuse, hein ? Il trouve peut-être cela naïf, ou bien qu'il s'agit d'une pure perte de temps. Je m'insurge. S'excuser n'est jamais une perte de temps. Mais bon, je reviens à mes moutons (n'oubliez pas : produire 1 malheureux kilo de viande d'agneau émet autant de gaz à effet de serre que 180 kilomètres en voiture ! J'enfonce encore le clou, pas vrai ?). Vite je reviens pour de bon à mes moutons avant que mon Censeur ne se révolte. On en était à la reforestation, je n'ai pas du tout perdu mon fil.

Six millions d'hectares de forêts primaires disparaissent chaque année, vous vous rendez compte ? Le système de Miyawaki *a déjà été appliqué sur 1 300 sites au Japon ainsi que dans plus de 15 pays comme la Thaïlande ou la Chine.* C'est le début d'un réconfort, on en a drôlement besoin. En Belgique, Urban Forest imite le botaniste pour végétaliser des zones industrielles, et en France, les mauvaises herbes du périphérique de Paris sont remplacées par des jeunes chênes et des bouleaux [317].

Puisque me voilà transportée sur le périphérique de Paris (où l'atmosphère est nauséabonde), je fais un détour par la France où les acteurs de la filière bois ont signé un appel à « renouveler la forêt française ». Par exemple, l'ONG Reforest'action voulait mobiliser des donateurs pour « planter un million d'arbres à l'automne-hiver 2018-2019 [318] ». La France fait partie du top 10 des pays les plus actifs en reboisement, gagnant 113 milliers d'hectares par an.

Ailleurs dans le monde, le Pakistan a planté en 4 ans 1 milliard d'arbres. Dans la province du Khyber Pakhtunkhwa, 16 000 personnes travaillent à la reforestation des sols. Si bien que l'objectif fixé en 2014 à un milliard d'arbres replantés aurait déjà été atteint et dépassé [319].

La Chine s'est lancée à son tour dans la reforestation. Après des décennies de déforestation, le pays entend regagner les hectares de forêts perdus. Il a atteint depuis 2015 une superficie totale de forêts de 208 millions d'hectares. De nouveaux arbres seront implantés dans la province de Hebei qui entoure Pékin (et on le comprend, vu l'épouvantable nuage qui asphyxie la ville), et dans celle de Qinghai (au centre). D'ici un an, 23 % du territoire (ou 35 % selon d'autres sources) devraient être constitués de forêts. Des projets de « villes-forêts » ont aussi été annoncés il y a deux ans. La « Ville forestière » de Liuzhou, qui pourra accueillir 35 000 habitants, est actuellement en construction, basée sur la qualité de l'air, la biodiversité et l'économie d'énergie [320]. C'est un effort vraiment indispensable pour un pays si consommateur de charbon.

Planète Urgence soutient la réhabilitation de l'écosystème de la mangrove et de la forêt dégradée en Indonésie et à Madagascar. 135 000 arbres ont été plantés en Indonésie et 1 221 564 à Madagascar [321].

En Europe malheureusement, les forêts de feuillus n'ont que peu d'effet sur le réchauffement climatique [322], d'où l'importance extrême de protéger les forêts tropicales. Les chercheurs ont étudié différentes stratégies (changement du type de végétation, reboisement à l'identique, éclaircissement de la forêt…) et examiné leurs effets à l'horizon 2100 sur la température, l'albédo (j'y viens tout de suite) ou la récolte du bois comme biomasse. Le modèle le plus efficace pour stocker un maximum de CO_2, qui en éliminerait 8 milliards de tonnes d'ici 2100, consisterait à convertir 475 000 hectares de forêts de feuillus en forêts de conifères.

Mais ces gains en absorption de carbone seraient quasiment annulés, car c'est sans compter sur « l'effet albédo ». Cet effet, vous le connaissez bien quand vous choisissez des couleurs claires pour vous habiller par temps chaud, et non pas noires, qui absorbent la chaleur. Or on le sait, la couleur des conifères par rapport aux feuillus est beaucoup plus sombre. Si bien que l'albédo (le réfléchissement de la lumière solaire) diminue et fait grimper la température. En Irlande par exemple, de vastes prairies naturelles ont été converties en monoculture d'épicéas à croissance rapide. Avec comme résultat des zones écologiques mortes « *où plus aucun oiseau ne chante, plus aucune abeille ne butine et plus aucune fleur n'efflore*[323] ». *Planter des conifères en Europe n'est donc pas une action souhaitable.* Pour la même raison, une reforestation en région boréale changerait l'albédo puisqu'on substituerait des forêts sombres aux zones enneigées blanches et brillantes.

M'est venue à l'esprit cette nuit, à cause de cet albédo, une idée complètement absurde, mais je vous la livre quand même : pourquoi, puisque les surfaces blanches réfléchissent la lumière solaire et font baisser les températures – ce qui explique que les villes, avec leurs chaussées noires, et outre la pollution, sont plus chaudes que les campagnes – alors que la fonte des surfaces enneigées fait grimper les températures, pourquoi donc ne pas peindre en blanc (vous allez rire) toutes les rues et les trottoirs des villes et des bourgs, ainsi que les autoroutes, afin d'abaisser la température ? M'amusant de cette idée loufoque, j'ai tout de même fouillé la question et ai trouvé – croyez-moi, c'est vrai – une suggestion on ne peut plus sérieuse du Conseil régional Environnement Montréal qui va exactement dans ce sens ! Je vous la cite : « Pour réduire l'absorption de chaleur, deux catégories de mesure sont possibles. La première catégorie vise à remplacer les surfaces foncées (toits noirs, routes asphaltées) par des surfaces claires et réfléchissantes. Une étude du Heat Island Group sur les écarts de températures entre différents types de pavage indique que l'asphalte âgé a un albédo (réflectivité) de 15 % pour une température de 46 °C. Recouvert d'un enduit visant à blanchir la surface, l'albédo augmente à 51 % faisant chuter la température du sol à 31 °C. Favoriser les fortes valeurs d'albédo en blanchissant les surfaces est une mesure qui pourrait également être appliquée sur les murs et les toits des édifices[324]. » Donc, à ma grande surprise, mon idée nocturne n'était pas tout à fait imbécile ! Du coup, j'ai entrepris de calculer la surface actuelle de zones urbanisées – donc sombres – dans le monde. Pas facile... Mais sachant que depuis 2000, la superficie des villes aura augmenté de 1,2 million de kilomètre carrés en 30 ans, soit de 110 kilomètres carrés par jour[325], et en extrapolant sur 30 autres années à venir, soit jusqu'à 2050, la surface urbaine serait alors de 2,4 millions de kilomètres carrés, mais en réalité plus que cela car les villes vont grandissant. Donc environ 3 millions de kilomètres carrés en 2050. Or la surface de la banquise arctique était de

3,3 millions de kilomètres carrés en 2012, de 4,6 millions de kilomètres carrés fin 2017. Si l'Arctique a entièrement fondu en 2050, ces 3 millions de kilomètres carrés de « villes blanches » ne pourraient-ils pas compenser la perte d'albédo de ces surfaces enneigées disparues et rendre plus supportables les canicules estivales ? J'en reste là avec mon idée loufoque, mais finalement pas si stupide *en théorie*. Cela ferait une sacrée quantité d'enduit blanc à produire !

Du coup j'en ai perdu mon fil. Ah si, j'en terminais avec les forêts.

Au moins, ne touchons plus à nos forêts existantes en Europe. Il faut les protéger par une gestion *durable* (diversité biologique, productivité, régénération bien planifiée…), *et n'acheter que du bois qui en provient*[326]. Pour le reconnaître, il existe deux labels (PEFC et FSC) qui assurent que le bois provient de ces forêts contrôlées. En 2017, 313 millions d'hectares de forêts étaient certifiés PEFC et 198 millions d'hectares FSC. De plus en plus de produits certifiés sont aujourd'hui proposés sur le marché[327].

Pour fortifier notre moral, allons voir évidemment du côté des énergies renouvelables, sachant que le GIEC préconise de les faire passer de 20 à 70 % de la production électrique au milieu du siècle. Mais autant le dire tout de suite, elles ne sont pas sans inconvénients. Il reste de sacrés progrès à faire pour innover de telle sorte que nous n'épuisions pas les terres et les métaux rares pour produire cette énergie « propre ». « Propre », mais pas tant que cela. C'est aussi une énergie vorace.

Les énergies renouvelables ont atteint pour la première fois 30 % de l'électricité consommée par les Européens en 2017. Cette croissance tient surtout à l'effort de quelques pays : le Danemark (74 % de son électricité), l'Allemagne (30 %) (mais qui utilise encore le charbon pour 37 %) et le Royaume-Uni (28 %). Parmi les pays à la traîne, la France (bien assise sur son nucléaire mais qui de toute façon prendra fin dans quelque 20 ans avec l'épuisement de l'uranium, ou dans dix ans, avec la perte de l'hélium servant au refroidissement des centrales) et la Pologne qui utilise 77 % d'usines à charbon pour sa production d'électricité [328]. L'Irena (Agence internationale pour les énergies renouvelables) appelle à accélérer le développement de ces énergies pour atteindre près de 34 % de la consommation finale en 2030. « Mais dans l'état actuel des politiques annoncées, l'Union européenne n'atteindrait pas son objectif de porter à 27 % la part des énergies renouvelables [...] en 2030 [329]. » Tout dépendra donc des efforts fournis d'ici... 11 ans.

Cela désole un peu, ou beaucoup, et cela énerve, bien sûr. Toujours la même chose : *S'Ils s'y étaient mis plus tôt au lieu de laisser filer la ligne...*

Donc voyons-les, ces énergies renouvelables, sur lesquelles on mise tant pour l'avenir :

L'énergie hydraulique tire parti de l'énergie de l'eau située en hauteur des fleuves, rivières, torrents, selon le bon vieux principe du moulin à eau. Cette énergie est ensuite convertie en électricité (par turbine et générateur, je simplifie si vous n'y voyez pas d'inconvénient).

Les centrales hydroélectriques, elles, sont situées dans des marais ou des sites où il est facile d'accumuler de grandes quantités d'eau, mais peuvent également se trouver en mer, profitant du mouvement des marées (mais le développement de ce secteur est limité faute de technologies assez avancées [330]).

Son avantage est qu'elle est inépuisable et que ses coûts d'exploitation sont faibles. Mais voilà ce qui n'est pas toujours dit : son grand inconvénient est que la construction d'une centrale implique celle de grands réservoirs, qui peuvent inonder d'importantes étendues de terres, qu'il s'agisse de capter l'énergie des fleuves ou des marées. *Et ces barrages et réservoirs sont aussi de grands émetteurs de méthane* [331] [332] [333], issu, je l'ai dit, de la décomposition de la végétation submergée dans les eaux stagnantes, particulièrement dans les zones tropicales mais aussi en zones tempérées. Selon l'Institut national de recherche spatiale du Brésil, les barrages sont la principale source anthropique de méthane, responsables de 23 % des émissions liées aux activités humaines. Et 23 % pourrait être un chiffre optimiste [334].

D'autres chercheurs estiment qu'en contrepartie, l'écosystème du réservoir, constitué par des algues, diverses variétés de planctons et des poissons, va prélever naturellement du CO_2 dans l'atmosphère. Ce qui porterait finalement la contribution des barrages à 1 % des émissions de gaz à effet de serre (SINTEF) [335]. J'avoue que j'en doute.

Des échos divers, donc, et un mode de production à surveiller de très près…

Du côté de l'éolien, en théorie, « capter un millième de l'énergie éolienne disponible sur Terre permettrait de subvenir à la totalité des besoins mondiaux en électricité[336] ». Exceptionnel, non ? Là aussi, on se prend à rêver. D'autant que les progrès technologiques réalisés sur les dix dernières années ont permis de rendre les éoliennes à la fois plus efficientes et beaucoup moins coûteuses à produire.

Mais (et revoilà ce « mais » très contrariant) l'énergie éolienne présente l'inconvénient majeur d'avoir une production intermittente. Le stockage en batteries doit donc devenir plus efficace dans les prochaines années, qui plus est sans utiliser de matériaux en voie d'épuisement, et cela, vous vous en doutez, va nous amener droit à un autre « mais ».

L'éolien en mer (privilégié par la France) a un impact supplémentaire à l'éolien terrestre, en raison d'une technique de conversion électrique (ne me demandez pas de détails !) *qui nécessite des aimants permanents spécifiques non recyclés à ce jour* ; or la fabrication de ces aimants utilise deux terres rares, le néodyme et le dysprosium, toutes deux menacées d'épuisement au cours du siècle[337]. Mais (et ce coup-ci c'est un bon « mais ») des avancées dans la fabrication des aimants permettent déjà d'abaisser le besoin de terres rares. Et la diminution du poids des génératrices en réduirait aussi de beaucoup l'usage, passant de 200 kg/MW à moins de 2 kg/MW. *Les avancées les plus récentes en recherche permettent même la substitution directe des terres rares*[338]. Une première mondiale de génératrice à aimants permanents avec de la ferrite a été développée par l'entreprise anglaise GreenSpur Renewables. *Mais* la ferrite, qui se trouve à l'état naturel mais aussi artificiel (ferrite au manganèse, au nickel ou au cobalt[339]), est elle aussi soumise à un problème d'épuisement : le fer vers 2087, le nickel vers 2048, le manganèse vers 2064 et le cobalt vers 2120. Mieux vaut que nous le sachions… Et que nous recyclions le fer autant que possible.

Et bien sûr, la construction des sites éoliens entraîne une consommation de carburant. Mais au vu des premiers résultats d'impacts environnementaux, l'éolien en mer, destiné à se passer de terres rares, conforte sa place dans la transition énergétique[340]. Bonne nouvelle tout de même.

L'éolien sur terre (*onshore*), lui, n'utilise pas de terres rares. En Wallonie par exemple, l'essentiel de la technologie éolienne installée n'utilise pas d'aimants permanents. Bonne nouvelle également.

Enfin, il y a les coûts de construction des éoliennes. Chaque machine nécessite un socle de béton, d'environ 1 500 tonnes par mât ! « Ça peut paraître énorme de dire que l'ensemble de l'éolien consomme 1 million de tonnes par an. Mais dans notre scénario de transition, on parie sur une diminution en parallèle de 40 millions de tonnes de béton dans l'ensemble des secteurs, notamment le bâtiment[341]. » J'ajoute que la fabrication de béton consomme beaucoup d'énergie (mais heureusement très peu d'eau). *Mais* elle émet du CO_2, et les recherches en cours visent à réduire cette part de 70 %. Elle utilise en outre du sable ou des graviers, et l'on peut se demander où l'on va en trouver encore de telles quantités, et quel sera l'impact de leur extraction sur l'environnement. Ensuite, le mât requiert de 25 à 40 tonnes d'acier selon les modèles ! (Le niobium, qui sert au renforcement de l'acier des pipelines, sera épuisé entre 2052 et 2062, mais je ne sais pas du tout s'il est utilisé pour l'acier des mâts, donc je ne développe pas.) Le mât utilise aussi du cuivre, mais qui sera recyclé à hauteur de 90 % [342]. Tant mieux car l'épuisement du cuivre adviendra dans 9 à 20 ans… Enfin, les éoliennes vieillissent et on estime à 20 ans leur durée de vie (usure des matériaux, perte des performances [343]). La machine est alors démantelée et en principe, la plupart de ses matériaux (plastiques et acier) sont recyclés [344]. Mais le recyclage des pales pose problème.

J'ai été fouiller dans les matériaux utilisés pour la fabrication de ces pales : elles sont formées d'un mélange de fibres de verre, de fibres de carbone, de résines polyester ou de résines d'époxy. Il y a mieux : les chercheurs de l'université américaine de Case Western ont mis au point un matériau réalisé à partir de polyuréthane renforcé avec des nanotubes de carbone (je ne peux pas vous expliquer ce que c'est, j'atteins mes limites !). Les pales ainsi construites sont 8 fois plus solides et plus légères que les pales traditionnelles. Mieux encore : le fabricant Blade Dynamics affirme qu'il pourra bientôt concevoir des pales de 100 mètres de long, intégralement constituées de fibres de carbone. Mais (oui, « mais »…) les pales sont les seules parties d'une grande éolienne qui ne peuvent pas être recyclées. Cependant elles sont incinérées pour récupération de chaleur ou broyées pour servir à la fabrication de ciment [345]. Je trouve cette source un peu ancienne (2013), je fouille encore et trouve le détail de cette avancée, pour les pales à fibres de verre : « Broyées et mélangées à d'autres composants, elles deviennent un excellent combustible solide dans l'industrie du ciment, remplaçant les carburants fossiles traditionnellement utilisés, comme le mazout. » Très bien. Mais sur le recyclage des pales à fibres de carbone, il semble qu'on cale encore[346].

Je lis enfin qu'« Associations et experts élaborent des scénarios, le plus connu étant celui de Négawatt, qui vise le 100 % renouvelable en 2050 » pour la France. Selon leur dernier scénario, avec 247 TWh d'énergie produite en 2050 et environ 18 000 mâts sur terre et en mer (et donc 27 millions de tonnes de béton et 450 000 tonnes d'acier au bas mot...), l'éolien représenterait la première source d'énergie renouvelable électrique alors qu'aujourd'hui, avec une production annuelle de 20 TWh (20 milliards de kWh), elle vient bien après la biomasse et l'hydraulique[347].

Avec l'éolien comme avec le photovoltaïque, se pose la question des batteries pour stocker les surplus d'énergie. Il s'agirait pour le moment de batteries au lithium (ou d'installations liées à l'hydroélectrique, donc des bassins, donc des émissions de méthane). Or, entre les voitures, l'électronique et les batteries des énergies renouvelables, le recours au lithium n'est pas viable puisqu'il sera épuisé, je l'ai dit, au pire dans 10 à 16 ans.

L'énergie solaire est peut-être celle qui présente le plus d'inconvénients. Sa performance est bien sûr fonction du temps qu'il fait et cette source d'énergie n'est pas une option envisageable dans les régions à ciel nuageux. L'avantage de l'énergie solaire thermique (qui transforme le rayonnement en chaleur) par rapport à la voltaïque est qu'elle permet de nombreuses applications (chauffage, production d'électricité, etc.), alors que l'énergie photovoltaïque ne permet que la production d'énergie électrique[348].

Mais (vous vous y attendiez, à ce « mais », n'est-ce pas ?) une cellule photovoltaïque est constituée de divers matériaux dont l'extraction n'est pas neutre du point de vue environnemental. La production de panneaux solaires en Chine, encouragée par les subventions d'État, a explosé ces dernières années et a contribué à faire baisser les prix, trop souvent au détriment de la nature et des salarié-es des usines. En plus des bas salaires et des conditions de travail extrêmes, des scandales de rejets massifs dans l'atmosphère de poudre de silicium (matière première de la cellule photovoltaïque, disponible en abondance) et de pollution causée par les opérations de raffinage du silicium ont été dénoncés au cours des dix dernières années.

Il est aujourd'hui possible de limiter de beaucoup ces impacts environnementaux et de recycler les produits issus des opérations de raffinage, ce que font de plus en plus d'entreprises. L'entreprise Voltec Solar fabrique ainsi des panneaux solaires qui présentent un taux de recyclabilité proche des 100 %. Aujourd'hui, au terme de leur durée de vie optimale (estimée à environ 25 ans), les panneaux photovoltaïques, qu'ils aient été construits en Chine ou en Europe, sont recyclables entre 95 % et 99 % pour la plupart des constructeurs. Des filières du recyclage des panneaux photovoltaïques s'organisent en Europe. Depuis 2014, fabricants et importateurs de panneaux photovoltaïques ont pour obligation légale de reprendre gratuitement les équipements solaires en fin de vie et sont tenus de participer au traitement des déchets.

La très grande majorité des panneaux solaires sont constitués de silicium cristallin, que l'on extrait du sable ou du quartz et qui, comme le verre, est 100 % recyclable. Ces panneaux contiennent aussi des éléments en argent, en aluminium ou en cuivre et, selon les modèles, du plastique. Or l'argent menace d'être épuisé d'ici 2 à 3 ans, et le cuivre dans la décennie 2028-2039 (ou plus tard si on les recycle).

Ces panneaux solaires couvrent 90 % du marché. D'autres panneaux photovoltaïques ont recours à des métaux rares et controversés (et non des « terres rares »), mais ils concernent moins de 10 % du marché. Des cellules de 3e génération constituées de molécules organiques sont aussi à l'étude[349].

Les panneaux solaires dits « à couches minces » sont plus problématiques. Car parmi eux, certains contiennent du cadmium : « u*n élément toxique, dont la concentration dans les produits électroniques est limitée par une directive européenne. Mais les panneaux photovoltaïques bénéficient d'une exemption*[350] » ! Il y a un risque pour l'environnement et les personnes si le panneau solaire se casse. Et bien que les sources ne le mentionnent pas, le cadmium sera épuisé dans quelque 20 ans. Mieux vaudrait donc renoncer à ces panneaux solaires à cadmium.

D'autres panneaux à couches minces comportent des traces de métaux rares, comme l'indium et le gallium[351] [352]. Mais la disparition de l'indium surviendrait dans 4 à 6 ans et le gallium sera aussi soumis à un problème d'épuisement. Les techniques d'extraction et de purification des terres rares sont en outre polluantes pour le sol et l'eau. Elles utilisent des procédés qui rejettent des métaux lourds, de l'acide sulfurique et des éléments radioactifs (uranium et thorium). En Chine, la radioactivité mesurée dans les villages de Mongolie-Intérieure proches de l'exploitation de terres rares de Baotou est de 32 fois la normale (à Tchernobyl, elle est de 14 fois la normale) ; tandis que de nombreux cas de cancer sont attribués à cette exploitation. Ces pollutions ont été dénoncées par Greenpeace Chine et par plusieurs associations environnementales internationales[353].

Il y a donc de sérieux avantages à choisir des panneaux solaires photovoltaïques monocristallins qui n'utilisent pas de terres rares. Chaque module est fabriqué à partir d'un seul cristal de silicium et est plus efficace, bien que plus coûteux, que les technologies de panneaux photovoltaïques polycristallins à couches minces. *Les panneaux solaires monocristallins, eux, ne sont pas dangereux pour l'environnement et sont facilement recyclables*[354].

Une équipe de chercheurs de l'université de Lund, en Suède, a travaillé à une alternative. *Les chercheurs proposent de remplacer les métaux rares par du fer.* Ils ont mis au point une molécule à base de fer en 2017, capable de capter puis d'émettre une lumière. Elle est en mesure d'imiter les propriétés des métaux utilisés pour fabriquer les cellules photovoltaïques[355]. Certes, le fer se trouve en abondance aujourd'hui mais on estime – je sais que je l'ai déjà dit – qu'il pourrait être épuisé vers 2087.

Entre l'existence de panneaux monocristallins, la recherche en cours sur des cellules de 3e génération à molécules organiques et celle sur l'usage du fer, le photovoltaïque a sans doute un avenir durable (attention cependant à l'épuisement du cuivre et de l'argent...).

Mais les nouveaux panneaux polycristallins paraissent bel et bien à proscrire.

J'ai été faire un tour pour connaître le taux d'émissions de CO_2 pour la construction des installations de ces énergies renouvelables : par rapport à une centrale à charbon qui émet 950 grammes de CO_2 par kWh et d'une centrale à gaz qui en produit 350 grammes par kWh, l'hydraulique atteint 4 grammes pour 1 kWh, l'éolien 3 à 22 grammes et le photovoltaïque 60 à 150 grammes (chiffres ADEME 2015 [356]).

J'y pense, à l'heure où nous parlons énergie, et où nous commençons, nous, à nous échiner à l'économiser (baisser la chaudière la nuit, éteindre derrière soi en quittant une pièce, laver à 40 °C, ne plus paresser dans un bain mais prendre une douche), à cette heure où la recherche d'énergie devient si cruciale, trouvez-vous normal qu'à Paris, la tour Eiffel s'allume tous les soirs, avec ses 20 000 ampoules et un coût de 93 000 euros par an ? Bon, cela fait moins de 5 centimes par Parisien et par an, mais symboliquement, je trouve cela important. Que l'on éclaire les monuments, les Invalides, etc., que l'on orne pendant un mois à Noël tous les arbres des Champs-Élysées de milliers d'ampoules, comme si de rien n'était ? Je sais bien que ce sont des détails insignifiants. Mais j'estime que cela encourage à imaginer que notre énergie est inépuisable.

— Bip. Vous vous éloignez du sujet, vous en étiez aux énergies renouvelables. Faites demi-tour immédiatement.

Tiens, cela faisait longtemps qu'on ne l'avait pas entendu, lui. Il faut dire qu'on s'est bien fait suer avec les énergies renouvelables, pas si simples qu'on l'espérait, vous avez vu cela, et je n'ai pas divergé. Mais il n'empêche que mon Censeur m'énerve avec ses demi-tours. Je suis dans le sujet, preuve en est que je vais m'atteler à l'énergie renouvelable de la biomasse.

Un rapport produit par l'organisation Birdlife indiquait que la croissance de la production de cette énergie accentuait le phénomène de déforestation, véritable désastre écologique en termes d'émissions de CO_2, de régulation du climat et d'effondrement de la biodiversité[357]. Il faut donc bien sûr se montrer *très méticuleux* dans son prélèvement.

La biomasse-énergie est la principale source d'énergie renouvelable en France : elle représente plus de 55 % de la production d'énergie finale (de renouvelables) et contribue à réduire notre consommation d'énergies fossiles. Solide, liquide ou gazeuse, elle produit de l'énergie pour différents usages comme la chaleur, l'électricité, le biogaz ou les carburants[358]. Il en existe deux types : d'un côté la biomasse ligneuse : le bois, la paille ou encore la bagasse, issue de la canne à sucre, pour les plus populaires, dont la combustion produit de l'énergie ; d'un autre la biomasse fermentescible : les déchets, le lisier ou les rejets liquides.

Plus en détail, cette biomasse provient de la forêt, de l'agriculture (cultures dédiées, résidus de culture – feuilles, pailles, tiges –, cultures intermédiaires et effluents d'élevage, fumier, lisier), et des déchets (déchets verts : biodéchets ménagers ; déchets de la restauration, de la distribution, des industries agroalimentaires et de la pêche, qu'il faut absolument récupérer ;

déchets de la filière bois : sciures, copeaux, chutes de bois ; boues de stations d'épuration, etc.). Les biodéchets ménagers comptent pour un tiers de nos poubelles en France : c'est un énorme gaspillage, de même pour les déchets des restaurants, des magasins, des petites et grandes surfaces commerciales, qui jettent les produits périmés. Ces déchets alimentaires sont en outre de grandes mines de phosphore. Là aussi, la récupération s'impose en urgence.

La bioénergie est amenée à se développer fortement, mais à la condition expresse qu'elle soit basée sur des *ressources issues d'une gestion durable,* qu'il s'agisse de l'exploitation des forêts, de l'agriculture ou des déchets[359]. Le bois occupant une part importante de l'énergie de la biomasse, celui issu des arbres ne doit pas être exploité *à plus 60 %* de ce qui pousse annuellement, afin que les forêts aient le temps de se régénérer. D'autant que le bois n'est pas utilisé que pour fournir de la biomasse. Veiller à la conservation des bois de la Terre est un impératif incontournable. L'énergie produite est dite naturelle et propre : lorsqu'elle brûle, la biomasse produit du CO_2 dont la plus grande partie est absorbée par les végétaux et stockée dans leurs racines pour favoriser leur croissance[360]. La combustion biomasse produit donc du CO_2, mais l'arbre brûlé restitue alors tout le CO_2 capturé durant sa vie pour assurer sa croissance. À l'échelle d'une génération, le bilan est donc neutre. D'ailleurs ce même CO_2 sera tout autant libéré si l'arbre se décompose en fin de vie. Dans la mesure *où l'on ne prélève pas plus de bois qu'il n'en pousse* (saine gestion de la filière), la combustion du bois n'aurait donc aucun impact sur la quantité néfaste de dioxyde de carbone dans la nature. La combustion de biomasse, comme de tous les autres carburants, n'est propre (c'est-à-dire qu'elle ne produit que du CO_2 et de l'eau) que lorsqu'elle est *complète* et donc parfaitement contrôlée (c'est-à-dire si le brûlage aboutit à l'oxydation complète du combustible, en général en présence d'un excès d'air [361]). Cela, ce sont les arguments en faveur de la biomasse. Mais la « propreté » et la « neutralité » de ce bois brûlé me préoccupent : ne vaut-il pas mieux laisser ces arbres accomplir leur cycle de vie complet puis en brûler les déchets morts plutôt que d'interrompre leur croissance, accélérer ainsi le rythme naturel des forêts et déséquilibrer l'écosystème ? Sur ce point, je ne trouve pas de réponse dans les sources.

La filière biomasse est composée de trois sous-filières. Ne différons pas ce sujet un rien assommant à traiter, c'est certain, mais allons-y :

Le chauffage individuel au bois est la première source d'énergie renouvelable en France (devant l'hydraulique, qui arrive en seconde position). En 2014, il représentait près de 60 % de la chaleur issue de renouvelables et environ deux tiers de la production d'énergie renouvelable à partir de biomasse solide ou gazeuse. Le nombre de foyers qui l'utilisent pour se chauffer a fortement augmenté, passant de 5,9 millions à 7,4 millions, et leur part est passée de 30 à 50 % dans le même temps. Il tombe sous le sens que les foyers ouverts sont à proscrire, émettant bien entendu du CO_2 et des particules fines. De même que le brûlage de déchets verts à l'air libre est interdit par la loi car il constitue un facteur important d'émission de particules : 50 kilos de déchets brûlés émettent l'équivalent de plus de 8 500 kilomètres parcourus par un véhicule ou de plus de 4 mois de chauffage d'une maison individuelle avec une chaudière fuel[362].

Il existe des appareils récents performants qui limitent de beaucoup ces émissions de CO_2 et particules. La part des foyers fermés (ou « inserts ») diminue au profit des poêles, qui représentent plus de 60 % des ventes. Mais l'émission n'est pas neutre et tout dépend des appareils. Les chaudières, inserts, poêles, foyers fermés, cuisinières, chaudières à bois sont d'autant plus polluants qu'ils sont anciens[363]. Avant 1996, les appareils à bûches émettaient 2,6 grammes de CO_2 par kWh fourni. Aujourd'hui, les appareils les moins polluants sont les poêles à granulés (0,25 gramme) et les chaudières à granulés (0,025 gramme[364]). Les « granulés » de bois, ou pellets, sont produits par l'affinage, le séchage et le compactage de sciure de bois, de copeaux, et parfois même de déchets agricoles[365].

Désormais, les poêles et foyers fermés à bûches ou à granulés ont une étiquette énergie obligatoire. Mise en place par l'Europe, elle affiche la classe d'efficacité énergétique de l'appareil[366] (de G à A^{++}). Du monoxyde de carbone (CO) se dégage lorsque l'apport d'oxygène est insuffisant et donc la combustion incomplète. Pour une combustion efficace, il faut que l'appareil soit correctement installé et que les brûleurs soient bien réglés[367].

Le label français « Flamme verte », lancé en 2000 par les fabricants d'appareils domestiques avec le concours de l'ADEME, constitue pour le moment une référence en matière de performances des appareils de chauffage au bois. Ainsi, depuis début 2018, la classe 5 étoiles a été supprimée. Seuls les appareils de classes 6 et 7 étoiles sont autorisés à afficher le label Flamme verte[368]. La classe 7 étoiles est la plus performante du point de vue du faible taux des émissions de monoxyde de carbone et de particules fines, qu'il s'agisse d'un appareil à bûches ou à granulés. Ce pourquoi les pouvoirs publics lui réservent des subventions. La classe 6 étoiles sera supprimée dès 2020. Les émissions de monoxyde de carbone, qui étaient supérieures à 1 % avant l'an 2000, se situent aujourd'hui à un maximum de 0,3 % pour les appareils indépendants et de 0,04 ou 0,06 % pour les chaudières. Les émissions de particules fines ont été extrêmement réduites, de 500 mg/Nm^3 avant 2000 (le Nm^3 mesure la quantité de gaz qui correspond au contenu d'un volume d'un mètre cube, ne m'en demandez pas plus) à 90 milligrammes à partir de 2015 et 40 ou 60 milligrammes pour les chaudières[369] [370] [371]. (Notez qu'en même temps, on s'instruit… je ne savais pas du tout ce qu'était un Nm^3).

— Bip. Vos ignorances propres n'intéressent pas du tout le lecteur. Qui, lui, sait peut-être très bien ce qu'est un Nm^3. Faites demi-tour immédiatement.

Le revoilà. Mais là, j'admets qu'il n'a pas tort et je fais mon demi-tour.

Les chaufferies biomasse, et c'est la seconde filière, concernent les productions de chaleur installées dans l'industrie, le collectif, le tertiaire et le secteur agricole. Le Fonds Chaleur de l'ADEME, en France, a permis de financer plus de 3 400 installations et le parc actuel de réseaux de chaleur, qui s'est étendu, devrait permettre au pays d'atteindre ses objectifs 2018 et 2023 en matière d'énergies renouvelables [372].

Troisième filière, la production d'électricité : les objectifs étaient d'atteindre à partir de biomasse une puissance de 540 MW en 2018 et de 790 à 1 040 MW d'ici 2023 [373]. Pour s'en faire une idée, sachons que la consommation moyenne annuelle d'une maison est de 15 600 kWh, soit 15,6 MW, soit 1,78 kW [374].

Je ne suis pas franchement douée pour les chiffres et les conversions, j'ai donc fait vérifier ces données par mon fils, fort calé en ce domaine.

— Bip. Le lecteur n'a strictement rien à faire de ce détail sur les compétences de votre famille. Faites demi-tour immédiatement.

Même pour trois malheureuses lignes, il ne me fout jamais la paix, n'est-ce pas ? Et voilà, il m'a fait perdre mon fil, cet imbécile. Ah oui, la biomasse, j'en étais là.

Le bilan paraît plutôt positif mais (vous l'attendiez ce « mais », vous y êtes bien habitués à présent) la biomasse présente, il fallait s'y attendre, des inconvénients. Le bois peut vite être épuisé si son exploitation n'est pas contrôlée. Pour l'éviter, les centrales thermiques utilisent d'autres types de biomasses. Elles se servent, entre autres, de paille, de canne à sucre (attention à sa surexploitation !) ou encore d'écorces de noix de coco (attention aux plantations de trop de cocotiers !). De manière générale, entre l'usage de la biomasse pour le chauffage, l'électricité, l'industrie, les biocarburants et les engrais agricoles naturels, sa consommation risque d'augmenter grandement. Surtout, veillons à ce que cette biomasse n'épuise pas sols et forêts.

Un autre inconvénient de cette énergie est son coût, qui a tendance à augmenter. Le procédé de combustion ou de méthanisation peut coûter cher. Et la dépense pour l'acheminement des ressources dépend du prix du carburant utilisé pour le transport (la canne à sucre, la noix de coco...).

Enfin, le rendement de cette bioénergie est globalement assez faible par rapport au total national (on se base ici sur la France, qui est un exemple comme un autre) et se classe loin derrière l'énergie hydraulique ou éolienne [375]. (J'en profite pour me répéter : cette énergie hydraulique m'inspire beaucoup de méfiance, en raison de ses trop importantes émissions de méthane.)

Nous reste à voir l'énergie géothermique, ne me quittez pas en route, on en a bientôt fini avec ces énergies. Gros avantage, elle utilise uniquement des éléments naturels, qui sont notamment la chaleur souterraine de la Terre et l'eau. Aucune réaction chimique ou physique n'est nécessaire. Ces sources naturelles sont constamment renouvelées, et c'est donc une énergie inépuisable, qui n'a aucun impact sur l'environnement et qui fonctionne sans intermittence [376]. Son principe est d'exploiter le flux géothermique naturel à la surface du globe qui, attention, est assez faible et nécessite des forages pour pouvoir être capté.

Je sens que cette vision idyllique va comporter des « mais ». Et en effet, la géothermie dégage du CO_2 (mais très peu), et n'est pas une énergie 100 % renouvelable car elle nécessite un générateur, donc de l'électricité. Ah. Plus contrariant encore, certaines pompes à chaleur utilisent du fréon (un gaz fluoré dont l'interdiction mondiale est prévue pour 2040) : normalement, seuls certains fluides « verts » sont autorisés [377].

Cette source d'énergie est très discrète car les forages ne vont pas abîmer l'aspect des paysages ou des jardins, la tête du puits de forage étant enterrée dans le sol. Mais elle est au départ très coûteuse et il faut investir entre 20 000 et 40 000 euros, ce qui est très loin d'être à la portée de tous. Enfin, il est nécessaire d'intervenir régulièrement pour que l'eau utilisée pour produire cette énergie dans le sol soit réintroduite à une distance bien précise [378]. Je me pose question sur cette ponction d'eau et je cherche. Ah voilà, je cite : « La quantité d'énergie disponible dans les masses d'eau souterraines et dans les sols est considérable. Leur exploitation doit se faire dans le plus grand respect de l'équilibre entre prélèvements et recharge naturelle. La réinjection de la *totalité* des fluides après échange thermique doit être la règle, le bilan quantitatif de l'exploitation doit être neutre [379] ». Donc il s'agit d'une sorte de circuit fermé, en quelque sorte, me voilà rassurée.

J'aimerais aussi en savoir plus sur ces forages, que je suppute être beaucoup plus profonds que le trou que nous ferions pour planter un hortensia, et la technique bien plus complexe que l'usage de notre bêche.

Or donc je poursuis ma recherche : la « géothermie profonde », produisant chaleur et électricité, implique la réalisation de forages d'un à plusieurs kilomètres de profondeur (qu'est-ce que je vous disais), par lesquels les eaux ou vapeurs chaudes sont extraites, valorisées en surface et le plus souvent (on aimerait lire « toujours » plutôt que « le plus souvent »...) réinjectées dans le sous-sol par le biais d'un second forage.

En revanche, l'installation de simples pompes, pour chauffer son logement, est qualifiée de « superficielle » car posée à faible profondeur. Elle est entrée dans de nombreux foyers français et en 2020, quelque 2 millions d'habitations devraient en être équipées. Néanmoins, cela reste une installation complexe (et voilà, on bute toujours sur des inconvénients, qui énervent) : si vos capteurs sont horizontaux, ils sont enterrés à une profondeur allant de 60 centimètres à 1,20 mètre environ. Mais il faut alors disposer d'un espace 1,5 à 3 fois supérieur à la surface habitable à chauffer ! Si on choisit un captage vertical, il faut forer jusqu'à une profondeur de 20 à 120 mètres. Vous imaginez le boulot de terrassement. Parce qu'il faut prévoir environ 1 mètre de profondeur par mètre carré à chauffer, donc par exemple 2 sondes géothermiques de 50 mètres de profondeur pour chauffer une maison de 120 mètres carrés. Cette géothermie est vraiment intéressante mais on comprend qu'au niveau individuel, c'est du lourd.

Et une fois vos capteurs installés, vous ne pouvez pas les oublier et vous en laver les mains. Un dispositif géothermique, comme nos chaudières actuelles, doit être entretenu, pour un coût de 100 à 300 euros par an. En plus, ces équipements ont une durée de vie de 20 à 25 ans en moyenne. Ce qui, me dis-je, n'est pas bien long au regard de la complexité et du coût de l'installation [380]. J'ai tendance à croire que la géothermie est plus intéressante pour les grands ensembles et les industries – cependant je ne veux décourager personne – qu'au niveau individuel. Je veux juste dire que nous ne pouvons pas nous imaginer candidement que nous allons installer en deux claquements de doigts de la géothermie « superficielle » dans notre jardin.

On en a fini avec la technologie des renouvelables ! On va aller voir ce qu'il en est en faisant un petit tour du monde.

Dans l'avenir, on peut espérer que les pays chauds produiront assez d'énergie avec le photovoltaïque (monocristallin...) pour assurer leur production en énergie, dont ils manquent pour la plupart.

À titre d'exemples : le Maroc, dépourvu d'hydrocarbures, met peu à peu en œuvre un vaste plan de développement des sources d'énergie renouvelables. En 2018, le royaume espérait subvenir à près de la moitié de ses besoins énergétiques grâce à l'éolien ou la géothermie mais surtout le solaire (je ne sais pas ce qu'il en est aujourd'hui). En tout cas, la première tranche de construction de l'imposante centrale photovoltaïque Noor a été inaugurée en février 2016. Située à une vingtaine de kilomètres de Ouarzazate, aux portes du désert du Sahara, elle est censée permettre, à terme, de fournir de l'électricité à plus de 2 millions d'habitants (le Maroc compte près de 32 millions d'habitants). La quatrième extension de cette centrale disposera d'une capacité de production de 72 MW (72 000 kWh) et de batteries pouvant stocker l'énergie pendant 8 heures [381].

Le Cameroun s'est aussi mis au solaire. Une centrale thermique-solaire, avec 600 panneaux disposés sur environ 3 500 mètres carrés, a été mise en service au sud du pays, à Djoum. Six autres sites sont déjà à l'étude au Cameroun et trois nouvelles centrales solaires devraient être opérationnelles dès le premier semestre 2019. En dépit de l'immense potentiel de l'énergie hydroélectrique du pays, les pouvoirs publics ont entrepris de mieux répartir le mix énergétique national en valorisant les autres sources renouvelables disponibles. Et l'on comprend pourquoi le Cameroun s'affaire autant dans le solaire, vu le taux moyen d'ensoleillement du pays[382][383].

Aux Émirats existe « un des plus puissants projets de parc solaire au monde ». Il s'agit de la première tranche d'un ensemble de 800 MW. 600 MW supplémentaires seront mis en service d'ici 2020. Il est possible que les Émirats Arabes Unis atteignent 75 % d'énergie propre en 2050. Selon EDF, ces MW actuellement installés ne sont qu'un début : « *Représentant un investissement total de 14 milliards de dollars, ce parc aura une capacité installée totale de 5 000 MW, créant plus de 1 000 emplois durant son développement et évitant une émission de 6,5 millions de tonnes de dioxyde de carbone par an, une fois entièrement opérationnel en 2030*[384]. » À Dubaï en particulier, devrait être installée une centrale solaire thermique à concentration d'une taille démesurée. Les travaux déjà en cours ne seront achevés qu'en 2030, la centrale devant atteindre alors les 1 000 MW de puissance.

L'Arabie Saoudite veut également réduire sa dépendance au pétrole et ambitionne une production électrique convertie à 50 % aux énergies renouvelables (et au nucléaire…) en 2032.

L'Iran veut s'appuyer plus nettement sur l'éolien où le potentiel du pays est estimé à 100 GW. Le pays avait fixé un objectif de 5 GW de renouvelables installés pour fin 2018, dont 4,5 GW d'éolien – un objectif qui n'a pas été atteint, en raison des sanctions financières et de l'embargo frappant le pays, mais qui montre une vraie volonté politique.

Entre 2014 et 2030, le Qatar a prévu de multiplier par 60 sa capacité de production électrique d'origine renouvelable. Oman, la Jordanie, Bahreïn ont également d'importants projets photovoltaïques en cours de construction, le Koweït un mix de projets solaires et éoliens. L'Irak en reconstruction souhaiterait de même s'équiper, même si les investissements et les partenariats avec l'étranger sont très compliqués à mettre en place.

Parallèlement à ces parcs, se développe aussi l'installation de panneaux photovoltaïques sur le toit des maisons ou des entreprises. Le ministre de l'Électricité et de l'Énergie du Yémen a récemment déclaré qu'environ 400 MW d'électricité sont produits à partir de panneaux solaires sur les toits dans son pays ravagé par la guerre[385].

Cette course aux renouvelables dans des régions riches en hydrocarbures pourrait surprendre : mais outre l'urgence climatique, ces pays savent que l'or noir n'est pas éternel et que l'heure de son abandon progressif a sonné.

Une grande question concernant l'énergie renouvelable est celle de son stockage. La transition énergétique engendre aujourd'hui l'ébullition de la recherche dans ce secteur.

À la Réunion, EDF a installé en 2016 un « microgrid » (là, on ne peut échapper à une définition : il s'agit de « micro-réseaux » (ou microgrids), soit « des unités de production et de consommation d'énergies renouvelables à l'échelle locale », par exemple dans des zones rurales reculées. Mais « ce n'est pas le seul domaine d'application de ces micro-réseaux, qui se répandent aussi dans les secteurs industriels et résidentiels pour proposer une alternative, moins chère et plus fiable, aux réseaux électriques centralisés ». Fin de la définition[386] !) À la Réunion, donc, l'énergie solaire, recueillie quand elle abonde, est stockée sous deux formes : des batteries pour le court terme, et des réserves d'hydrogène. Elle servira ensuite à produire de l'électricité dans des piles à combustible.

En Guyane, la centrale de Montsinéry-Tonnegrande regroupe 55 000 panneaux photovoltaïques en couches minces (donc contenant du cadmium, toxique, qui sera épuisé vers 2040) pour desservir une région particulièrement isolée. La puissance installée peut alimenter une ville de 4 000 habitants. Pour intégrer cette production intermittente dans le réseau, 288 batteries (à lithium-ion...) stockent l'électricité et la restituent au besoin[387].

Parmi les pistes technologiques explorées pour faire évoluer les batteries vers une efficacité plus grande ou des coûts plus faibles figure la voie « métal-air » (la batterie Zinium, fonctionnant à base de zinc, eau et air). Mais le zinc est un métal qui risque de devenir rare d'ici 6 ans[388]... Cette technologie n'est donc pas pérenne, pas plus que les batteries au lithium, qui s'épuisera dans quelque 30 ans.

Une autre stratégie envisage le stockage d'énergie dans l'inertie d'un cylindre en béton (c'est techniquement très complexe, je peine à comprendre et je résume le principe le plus simplement possible : il s'agit d'un système tournant installé dans un cylindre en béton). Elle est vantée mais également critiquée : pour couvrir 15 % de la consommation hivernale en France, il faudrait 40 millions de ces systèmes tournants, 100 millions de tonnes de béton et occuper 8 000 hectares[389].

EDF, avec son « plan stockage électrique », a l'objectif d'installer 10 GW (soit l'équivalent de la puissance d'une dizaine de réacteurs nucléaires) à l'échelle de la planète en 2035[390].

Une autre voie de recherche, le « Power to Gas », consiste à transformer le surplus d'électricité en hydrogène ou en méthane synthétique. Grâce à un simple courant électrique, l'eau est transformée en oxygène ou en hydrogène gazeux qui, mélangé à du CO_2, donnera du méthane. Une fois transformée en gaz, l'énergie peut être insérée dans le réseau de gaz naturel existant et il est alors possible de transporter, de stocker et d'utiliser ce gaz pour se chauffer ou pour le transformer en carburant[391]. Certes, le gaz naturel dégage 30 % moins de gaz à effet de serre que le mazout et 45 % de moins que le charbon[392]. Mais il demeure une énergie émettrice de CO_2 et n'est donc pas à considérer comme « propre ». Néanmoins je note que 35 % à 40 % du biogaz peut être converti en électricité[393]. Après avoir été épuré du CO_2 (décarbonation), du sulfure d'hydrogène (désulfuration) et de l'eau (déshydratation), le biogaz devient du biométhane[394]. La combustion du biométhane est moins polluante que celle des hydrocarbures, avec une quasi-élimination des particules fines, une diminution de 50 % à 90 % des oxydes d'azote (s'il en reste 50 %, c'est tout de même beaucoup), mais produit des émissions de CO_2 réduites de seulement

25 % par rapport à un véhicule à essence… Cette voie ne provoque pas notre enthousiasme, n'est-ce pas ?

Sur les marchés asiatique et américain, les projets hydrogène se multiplient. En France, des start-up émergent et de grands groupes industriels misent sur les nouvelles voies offertes par ce vecteur énergétique.

C'est le cas du projet Jupiter 1000, un système « Power to Gas » destiné à produire de l'hydrogène « propre » (l'hydrogène n'est propre que lorsqu'il est issu de sources renouvelables. Il n'émet que de la vapeur d'eau et aucun gaz à effet de serre). Le projet réunit plusieurs atouts : l'installation d'une unité de captage de CO_2 sur les cheminées d'un industriel local (enfin) et d'une unité de méthanation destinée à convertir l'hydrogène produit avec le CO_2 ainsi recyclé pour créer un méthane « vert ». Et on retombe sur ce biométhane… L'énergie hydrogène « Power to Gas » garantirait une forte capacité pour du stockage très longue durée [395].

Mais des doutes sérieux subsistent (ce « mais », toujours ce « mais »…). Certains experts, comme Etienne Beeker, chargé de mission énergie chez France Stratégie, émettent d'importantes réserves et estiment qu'il y a trop de précipitation. « *La France suit le modèle allemand lancé en 2011. Nos voisins d'outre-Rhin avaient alors misé sur l'hydrogène pour le stockage de masse de l'électricité du parc d'énergies renouvelables qu'ils allaient déployer. Mais le retour d'expérience a révélé des coûts extrêmement élevés. Aujourd'hui, ils ont changé leur priorité et préfèrent déployer des lignes à haute tension à travers le pays, quitte à les enterrer devant l'opposition des populations.* » Selon Beeker, les électrolyseurs et les piles à combustibles n'ont pas atteint leur maturité. « *On veut aller trop vite. L'argent public [...] devrait plutôt être consacré à la recherche, notamment pour trouver des membranes d'électrolyseur (une petite définition obligée au passage : procédé générant un courant électrique qui permet de modifier certaines substances) moins onéreuses, n'utilisant pas de métaux précieux tels que le platine.* » Ce métal nécessaire à l'électrolyseur alourdit le coût de revient de l'électrolyse, sans compter d'autres « verrous en cascade ». « *L'énergie hydrogène est non seulement chère à produire, mais [l'hydrogène] est également un gaz très volatil et explosif, et le stocker et le transporter soulèvent de nombreux obstacles technologiques et réglementaires*[396]. »

Actuellement, 95 % de l'hydrogène industriel provient des hydrocarbures et non pas des renouvelables. Un des processus les plus courants consiste à fabriquer l'hydrogène par « vaporeformage », technique utilisant du gaz naturel. L'objectif prioritaire consiste donc à remplacer la production d'hydrogène industriel basé sur les énergies fossiles par une production utilisant des énergies renouvelables.

Pour se résumer (et on en a bien besoin, je crois...), plusieurs techniques nouvelles ouvrent la voie à un hydrogène vert produit à partir de surplus d'électricité renouvelable intermittente. Cet hydrogène permettrait d'absorber l'excédent d'énergies renouvelables et pourrait être utilisé de plusieurs façons : « Le stocker localement et le reconvertir ensuite en électricité durant les heures de pointe » (jusqu'ici je suis d'accord). « Il peut être utilisé en carburant de la mobilité propre » (mais je vous ai déjà dit ce que je pensais des voitures à hydrogène et de leurs piles). « Il peut être aussi injecté directement dans les réseaux de gaz, seul ou combiné avec du gaz naturel[397]. » Et nous voilà de nouveau face à la pollution engendrée par cette combustion.

Non, décidément, hormis la reconversion en électricité, les techniques à hydrogène et biogaz ne me convainquent pas…

Après les énergies renouvelables et le stockage (ouf, on en a fini avec ça), vient le problème de l'exportation. En Europe par exemple, hormis les pays du Sud, se pose la question du froid pendant de nombreux mois et d'un faible ensoleillement.

— Bip. Égoïsme. Vous ne pensez qu'à vous et aux moyens de vous chauffer durant l'hiver. Faites demi-tour immédiatement.

— Absolument pas. L'Europe n'est qu'un exemple de pays où l'ensoleillement est faible. Vous croyez que si je ne pensais qu'à moi, je me serais lancée dans l'entreprise cinglée de ce livre ?

Il m'exaspère. Il surinterprète ce que j'écris. Je l'ignore et je reprends.

On a beaucoup écrit ces dernières années sur le potentiel considérable de la production d'énergie solaire au Moyen-Orient et en Afrique du Nord. D'après l'Agence internationale de l'énergie, *le développement de la technologie solaire à concentration pourrait à lui seul représenter plus de 100 fois la demande cumulée d'électricité en Afrique du Nord, au Moyen-Orient et en Europe.* En 2012 déjà, des initiatives pour l'adoption d'un programme d'importation d'énergie renouvelable du Maroc à l'Allemagne (via l'Espagne et la France) ont vu le jour. Mais les échanges commerciaux entre l'Afrique du Nord et l'Europe ont été freinés par des réseaux de transport de l'électricité inadéquats entre les deux continents. L'Union européenne, qui s'est fixé *théoriquement* des objectifs ambitieux en matière d'énergies renouvelables (dont on ne voit pas encore les résultats), sait qu'il est indispensable de renforcer des interconnexions entre réseaux électriques[398].

J'en ai fini de ma si longue énumération des menaces gravissimes de toutes sortes qui pèsent sur notre monde vivant, mais aussi des actions existantes ou des innovations en cours, secteur par secteur, dont certaines sont des impasses mais dont d'autres sont réellement prometteuses et déjà en action.

Ce qui est certain, c'est que nous sommes face, à court terme, à une modification profonde et nécessaire de nos modes de vie et de nos sociétés. Et sans doute face à de grandes migrations de populations – les réfugiés écologiques – auxquelles le monde devra se préparer, *sans recours à une violence qui ne ferait qu'aggraver les choses*. Et force nous est d'envisager la possibilité de conflits – conflits pour l'eau, pour la nourriture, pour fuir des zones atteintes par une chaleur excessive. De conflits, de chaos, de bouleversements des équilibres mondiaux actuels, économiques bien sûr – si tant est que l'on puisse parler d'« équilibres mondiaux » quand on considère l'immense écart entre les pays pauvres et les pays riches, qui n'ont rien fait depuis des années pour réduire cet écart et tendre vers une plus grande harmonisation des moyens vitaux de tous.

Face à cette situation et au réchauffement climatique, on observe aujourd'hui plusieurs réactions. L'une d'elles est le déni, l'évitement, le refus de savoir, le désir d'ignorance. Comme déjà dit, ce déni permet instinctivement à notre psychisme de se protéger de l'angoisse que génère cet avenir si menaçant.

À l'autre extrême sont les tenants de « l'effondrement », ou du « collapse », qui ont déjà leur nom : les collapsologues, dits plus familièrement les « collapsos ». C'est en 2015, avec la publication du livre *Comment tout peut s'effondrer. Petit manuel de collapsologie à l'usage des générations présentes,* que Pablo Servigne et Raphaël Stevens inventent ce mot et cette notion de « collapsologie ». Ils étudient et documentent cet effondrement global qui est censé venir, mais pensent qu'il est encore possible de l'amoindrir. Et on ne peut, *si rien n'est fait,* nier l'éventalité d'un tel effondrement.

Il existe aussi les « survivalistes », qui anticipent une catastrophe totale imminente. Pour s'y préparer, ils ont recours à des techniques qui vont consister essentiellement à se plonger en pleine nature, en essayant d'apprendre à survivre en dehors du confort, en dehors du monde urbain, en se basant sur un mode de partage et de solidarité.

Très différents sont les survivalistes riches, pétris d'égoïsme, qui se préparent de façon tout autre en s'armant jusqu'aux dents, construisant des bunkers et y stockant des vivres [399], ou bien envisagent de se regrouper sur de grands navires en attendant que le pire soit écarté. Projets tout bonnement imbéciles, et pour le coup, ignares.

Enfin restent ceux que je nommerais les « espérantistes » qui, bien que parfaitement conscients des grands bouleversements à venir, et sachant que le monde, son système productiviste et les modes de vie devront être foncièrement modifiés, espèrent néanmoins en les actions actuelles et à venir *dans des délais très rapides* pour contenir les impacts et tentent d'agir, à la mesure de leurs compétences et de leurs possibilités très diverses (ce qui les rapproche des collapsologues qui ne sont pas dénués d'espoir). Vous aurez compris, en lisant ce livre et en prenant connaissance des actions possibles que j'ai exposées, que j'en fais bien entendu partie. Les espérantistes, misant sur la prise de conscience grandissante des populations, fustigent évidemment l'inertie des gouvernements successifs depuis quarante ans, leurs liens politico-financiers avec les grands lobbies, et notre maintien coupable dans l'ignorance et l'illusion. Je me répète et je précise : le choix des lobbies et des gouvernants de passer outre les recommandations du GIEC et de l'ONU, et d'atteindre + 2 °C (et plus...) de réchauffement, de refuser la modification des systèmes de production actuels, revient à choisir de ce fait l'extinction de l'humanité d'ici la fin du siècle. Ce choix de mort – non « volontaire » mais bien réel –, les espérantistes et les jeunes le refusent et le combattront avec la dernière énergie.

Avant de vous présenter les conclusions, je dois vous parler des fameuses et stupéfiantes « courbes de Meadows » (du nom d'un des auteurs de ce rapport scientifique), dont je n'ai pas tenu compte dans ce livre, qui a sagé une poursuite de notre modèle actuel insensé. Les courbes de Meadows sont la simulation mathématique de « *The limits to growth* », (« Les limites à la croissance ») effectuée par le Club de Rome, qui propose des dates de pics et de décrue[400]. Elles présentent le formidable intérêt d'avoir été modélisées en 1970, en n'étudiant pas les événements séparément mais en intégrant les différents paramètres fondamentaux du monde dans un modèle mathématique. Ces paramètres sont au nombre de six (qui en regroupent eux-mêmes plusieurs) : le stock des ressources non renouvelables, la démographie, la nourriture par habitant, la production industrielle par habitant, les services par habitant, et la pollution globale. Ce paramétrage complexe a fourni une douzaine de scénarios présentant les grandes lignes depuis 1900 jusqu'à 2100. A posteriori, il est apparu que sur la période 1970-2000, puis même 1970-2010, le scénario qui concordait avec une très grande précision avec ce qui s'était *effectivement* passé entre ces dates était celui basé sur la notion bien connue de *Business as usual* (*« Les Affaires comme toujours »*), que l'humanité a en effet tragiquement choisi depuis maintenant 50 ans. (En 2012, Graham M. Turner[401] a publié une mise à jour du graphique, auquel il a adjoint les données réelles disponibles jusqu'en 2010.)

Et voilà ce que cela donne *si l'humanité continue à suivre le scénario « Les Affaires comme toujours »* : la quantité des ressources non renouvelables continuera de décliner très fortement jusqu'en 2030 (ce qui est exact mais le phénomène est un peu moins rapide que prévu, ce qui peut retarder les dates du modèle), et plus faiblement ensuite. La production industrielle par habitant, toujours dans cette simulation, augmente à un rythme soutenu jusqu'à connaître un pic vers 2015 et s'effondrerait juste après ce pic pour atteindre en 2100 celui des années 1920. La nourriture par habitant croît depuis 1900 mais à partir de 2020 (2025…), elle décroche et descend pour atteindre en 2100 un niveau légèrement inférieur à 1900. Les services par habitant, composés du secteur tertiaire marchand (transports, services bancaires…) et du tertiaire non-marchand (enseignement, santé…), atteignent leur pic vers 2025 avant de s'effondrer pour aboutir en 2100 à un niveau un peu inférieur à celui de 1900. La population mondiale augmente jusqu'en 2030-2035 puis chute, plus lentement que les autres courbes, égalant en 2100 son niveau de 1975. Enfin la pollution globale : elle croît fortement jusqu'en 2030-2035, puis chute pour atteindre en 2100 le niveau de 1950.

Ce fascinant « rapport Meadows », s'il aboutit à des conclusions inquiétantes, n'a pas tenu compte à l'époque de deux paramètres très aggravants : le réchauffement climatique et la perte de la biodiversité. Mais il n'a pas tenu compte non plus, en 1970, de l'émergence des énergies renouvelables. Cette simulation demeure cependant très stupéfiante et instructive, et toutes les données réelles évoquées dans ce petit livre ne la contredisent pas. Pour ceux qui voudraient en savoir plus sur ces estimations, je les renvoie aux notes qui suivent[402 403]. Pour ceux encore qui souhaiteraient voir ce passionnant graphique de simulations, on le trouve partout en ligne[404].

Pour restreindre au maximum les dégâts massifs qui nous attendent, toujours *si rien n'est fait*, et pour conclure, je vais vous résumer d'un côté ce qui sera la part à mettre en œuvre par les gouvernants du monde (la COP25 devrait se tenir fin 2019, en laquelle j'espère fort peu), et d'un autre *ce que Nous, les Gens, pouvons faire, et qui est très loin d'être négligeable.*

Ce résumé final me paraît incontournable car dans cet afflux de données que je viens de vous infliger, il devient bien difficile de mémoriser tous les paramètres et nous nous y perdons un peu – en tout cas moi, oui.

Aux gouvernants revient une immense part d'action rapide et décisive, qu'ils connaissent déjà par ailleurs, même s'ils ne s'y attellent qu'avec une modération désespérante. Aussi cette petite revue pourrait paraître ridicule, mais elle ne s'adresse pas aux dirigeants ; c'est à nous qu'elle s'adresse, afin que nous restions vigilants et non plus passifs comme auparavant :

– Abaisser considérablement nos émissions de CO_2 dès 2020 pour atteindre zéro émission carbone en 2050, et celles des autres gaz à effet de serre, si l'on veut que l'humanité survive. (Et donc ne pas se jeter sur le charbon encore disponible pour compenser le déclin du pétrole.)

– Pour financer ce vaste bouleversement de nos modes de production, de consommation, de pensées, de vie, les gouvernements doivent *oser s'attaquer enfin à la fraude fiscale internationale*. Il y a là de quoi financer la grande transition énergétique de ce monde.

– Si un choc économico-écologique est à venir, ce qu'on ne peut exclure, il faudra opérer des choix : ainsi, [illegible] les priorités, préserver les services de santé et l'industrie pharmaceutique ; maintenir la formation d'ingénieurs *mais aussi* (très important) celle de spécialistes en énergie nucléaire afin de disposer d'un personnel compétent pour démanteler les centrales qui seront mises à l'arrêt ; protéger l'acheminement des denrées alimentaires et de l'eau ; conserver les usines de traitement des eaux usées.

– *Soutenir les entreprises qui investissent dans la dépollution*, ce qu'elles devront faire nécessairement si elles veulent rester compétitives, et certaines ont déjà commencé.

– *Légiférer en urgence sur la si menaçante industrie agroalimentaire, contraindre les éleveurs-agriculteurs à cesser toute irrigation massive pour ne donner aux cultures, via le goutte-à-goutte ou l'aspersion maîtrisée, que l'eau qui leur est strictement nécessaire. Interdire* l'élevage industriel en confinement au profit de l'élevage en pâturage.

– *Encourager puissamment et financer l'élevage et l'agriculture biologiques*, qui devront prendre très vite le pas sur l'industriel, et dont les rendements sont égaux ou supérieurs.

– *Légiférer de même sur l'utilisation en excès des engrais agricoles, phosphore, phosphates, engrais azotés (cause majeure des émissions de protoxyde d'azote et de nitrite), n'autoriser que les doses strictement nécessaires aux plantes.*

– *Légiférer sur les grands polluants que sont des pesticides, herbicides et fongicides, et interdire dès demain les pesticides qui massacrent les insectes pollinisateurs et affectent gravement le développement végétal et notre santé. Aujourd'hui, l'interdiction du glyphosate en France a été reportée de trois ans et les nouveaux SDHI sont autorisés.*

Cesser le désherbage des voies ferroviaires par des herbicides (pour rappel, la SNCF est le plus gros consommateur d'herbicides de France).

– *Légiférer sur la fin de l'obsolescence programmée.*

– *Contraindre les industriels à développer des technologies moins avides en eau* et à utiliser une eau de qualité moindre pour les usages ne nécessitant pas de l'eau potable. *Contraindre les usines à s'équiper de leur propre station d'épuration* et à fonctionner en circuit fermé en recyclant leurs eaux.

– *Recycler l'eau usée au maximum.* Les eaux domestiques usées peuvent être réutilisées pour l'irrigation, après un traitement assez léger.

– *Développer le stockage souterrain de l'excédent d'eau*, notamment hivernal, dans de profonds réservoirs aquifères.

– Concernant la grande pollution due aux eaux d'orages dans les zones très urbanisées, *développer des réseaux de récupération séparatifs* et assainir ces eaux de pluie récupérées. *Aménager des bassins de stockage* afin de récupérer le trop-plein d'effluents par temps de pluie.

– *Créer des parcs naturels hydrogéologiques.*

– *Rendre obligatoire la captation du CO_2, du méthane et du mercure en sortie d'usines émettrices.* Il existe pour cela de nouvelles techniques performantes et il en existera rapidement d'autres, car les chercheurs ne restent pas, eux, les bras croisés (pour le CO_2 et le méthane, capteurs à enzyme des chercheurs d'Albuquerque, ou solvant de Carbon Clean Actions Limited, pour le mercure, technologies Vosteen Consulting ou Götaverken Miljö). Encore faut-il importer ces capteurs et les installer au plus vite. Encourager et financer ces nouveaux procédés.

– Toujours pour réduire le CO_2, *restaurer l'ancien système ferroviaire, multiplier les navettes aux points de station des gares et des transports en commun*, aider au développement d'un large réseau de taxis électriques aux points d'arrivée de ces gares et stations.

– *Réinstaller urgemment les commerces de proximité disparus dans les villages*, avec la participation financière des grandes surfaces qui sont la cause de leur fermeture. Faire circuler des camionnettes (vente de viandes, poissons, pain, etc.) dans ces villages.

– *Envisager la construction de ces tours de 100 mètres de hauteur* qui pourraient assainir l'air de villes entières, opérationnelles d'ici 2020.

– Concernant le méthane, réduire la quantité de bétail à travers le monde, légiférer sur la méthanisation obligatoire dans les digesteurs transformant les matières putrescibles en biogaz et en compost.

– *Utiliser pour les convertir en biomasse les effluents de l'élevage*, les déchets de l'agriculture, mais aussi les déchets ménagers (à récupérer) ainsi que ceux des commerces, de la restauration collective, des cantines.

– *Encourager une modification du système des rizières*, grandes émettrices de méthane.

– *Concernant les très dangereux gaz fluorés, supprimer totalement l'usage des mousses et aérosols isolants dans le bâtiment* (et non pas par « une réduction progressive » comme dit par le règlement de 2015), et les remplacer par les *technologies alternatives d'efficacité équivalente* et d'incidence environnementale moindre, voire nulle, qui existent déjà. Recourir de même, *pour la chaîne du froid*, à ces alternatives. S'agissant du menaçant gaz NF_3, interdire les panneaux solaires nouvelle génération qui l'utilisent.

— Bip. Cette énumération fastidieuse est ennuyeuse comme la pluie. Vous allez perdre des lecteurs en route, si ce n'est déjà fait. Arrêtez-vous immédiatement.

— Vous croyez que je ne me rends pas compte combien c'est emmerdant à lire ?

— « Emmerdant » appartient au vocabulaire grossier.

— Eh bien tant pis. Mais cet emmerdant récapitulatif, je suis obligée de le faire. Nous sommes perdus dans la masse des données. Laissez-moi donc bosser.

Mon Censeur a raison, je ne le sais que trop, mais je dois continuer. Soyez héroïques jusqu'au bout, j'en arrive très vite à ce que Nous pouvons faire.

– *Légiférer sur une récupération obligatoire du précieux phosphore* et de l'azote dans les eaux usées, eaux d'égout, boues d'épuration, et dans les excrétions humaines et animales, fèces et urines, le recyclage des fèces pouvant fournir aussi une grande quantité d'électricité. Faire cesser l'exploitation minière du phosphore au profit de l'usage du phosphore organique naturel dans les cultures biologiques.

– Protéger le bois et conjointement l'eau vitale, *classer les forêts primaires d'Amazonie, d'Indonésie, du bassin du Congo au Patrimoine mondial de l'humanité, et faire cesser leur déforestation. Encourager la plantation de nouvelles « forêts primaires ». Concernant les autres forêts, imposer la reforestation pour accroître la biomasse et n'exploiter que les bois strictement certifiés*, encourager les labels tels PEFC et FSC pour leur gestion durable des forêts.

– *Intégrer la biodiversité dans toutes les politiques publiques* et préserver à toute force ce qui demeure encore du monde vivant existant, animal et végétal, biodiversité sans laquelle survivre deviendra impossible.

– *Interdire au niveau international l'importation de bois tropicaux.*

– *Ne plus produire de biocarburants à base d'huile de palme, de soja ou de colza.* Même chose avec la future *huile d'algues.*

– *Interdire l'importation de soja et d'huile de palme* (pour rappel, en France, le soja, importé à 97 %, est le *premier responsable* de notre empreinte forêt, surtout consommé par les animaux de nos élevages).

– *Ne pas planter de conifères en Europe,* action négative en raison de l'albédo.

– *Corriger ou prévenir la salinisation des sols* grâce aux différentes techniques *déjà existantes.*

– *Boiser ou reboiser les rives des cours d'eau,* ce qui permet d'en consolider les berges et d'éliminer les nitrates des parcelles cultivées.

– *Remettre en cause les grands aménagements hydrauliques* aux impacts parfois catastrophiques (méthane). Privilégier les petits barrages en terre de faible hauteur.

— Bip. C'est de plus en plus assommant. Le lecteur n'en peut plus.

— Mais cessez, à la fin ! Vous allez décourager mon lecteur héroïque ! Vous croyez peut-être qu'on sauve le monde en trois lignes ?

— Parce que vous croyez que vous allez sauver le monde ?

— Ne vous foutez pas de moi. J'essaie d'informer les gens. Donc laissez-moi en paix.

— Eh bien faites-le autrement. Cette énumération est exténuante.

— Et comment j'énumère à votre idée ? En alexandrins ? En chansons ? Sous forme de roman récréatif avec comme suspense l'avenir du Vivant ? Ne soyez pas idiot, en plus d'être dictatorial.

Les relations se tendent clairement entre mon Censeur et moi. Et plus il m'empêche d'avancer, plus je persévère. Restez à mes côtés, j'ai confiance en vous. Peut-être devrais-je le tutoyer pour tenter d'introduire un peu de cordialité entre nous ?

– Concernant les océans, *interdire tout plastique à usage unique,* n'utiliser que les recyclables et contribuer au développement des nouveaux plastiques biodégradables.

– *Soutenir les travaux sur la bactérie découverte au Japon, l'Ideonella sakaiensis,* qui se nourrit uniquement d'un type de plastique, le polytéréphtalate d'éthylène (PET), qui entre dans la composition de très nombreuses bouteilles en plastique.

Du côté de l'énergie, développer le plus rapidement possible les énergies renouvelables :

– *Organiser le recyclage des matières contenues dans les pales des éoliennes.*

– *Extraire et produire des terres rares en respectant des normes environnementales et sanitaires sévères,* c'est aujourd'hui possible. *Sinon, ne pas exploiter les terres rares.*

– *Dans les éoliennes, interdire le recours aux aimants, qui utilisent des terres rares.* Encourager et financer les avancées les plus récentes permettant la substitution des terres rares.

– En photovoltaïque, *proscrire les nouveaux panneaux solaires à couches minces qui contiennent du cadmium, toxique, et d'autres panneaux à couches minces qui comportent des traces de métaux rares.* Encourager les panneaux monocristallins ou ceux qui n'utilisent pas de terres rares. Soutenir la recherche en cours sur des cellules de 3e génération constituées de molécules organiques et celle sur l'usage du fer, qui remplacerait les métaux rares.

– *Fortifier le recyclage du fer et du cuivre.*

– *Encourager et financer les nouvelles techniques de stockage* d'électricité qui n'utilisent pas de lithium.

C'est vrai qu'on s'emmerde, c'est incontestable, et franchement je m'en excuse. Mon Censeur me déstabilise et je dois m'opposer à ses critiques démobilisatrices. Le sujet que nous traitons n'a rien de cocasse, on le savait d'entrée de jeu. On avance on avance ventre à terre et on termine.

Dans le domaine de la voiture électrique :

– *Miser sur les batteries sodium-ion* (ou d'autres à venir *sans phosphore*) et non sur les batteries actuelles polluantes et utilisant du lithium, menacé d'épuisement.

– *Pour la fabrication de ces voitures*, grandes émettrices de CO_2, *encourager les usines à énergies renouvelables* ou contraindre les usines à toutes s'équiper de capteurs 100 % de CO_2.

– *Encourager les nouvelles techniques limitant l'émission de particules fines* issue de l'usure des pneus et des plaquettes de frein.

– *Développer un maillage de bornes de recharge suffisant*, homogène, utilisable par toutes les marques, d'accès gratuit, et fléché par des panneaux informatifs.

Et voilà, c'est terminé – je ne prétends pas que cela soit exhaustif – pour ce que les Responsables ont à faire. Vous voyez qu'ils ont du pain sur la planche, et beaucoup. S'acquitteront-ils de leurs impératifs ? Les futurs engagements signés deviendront-ils enfin contraignants pour les États et non plus facultatifs (!) comme auparavant ? Questions clefs auxquelles ni vous ni moi ne pouvons répondre. Mais attention néanmoins : ces responsables sont totalement dépendants de l'électorat qui les porte au pouvoir, c'est-à-dire de Nous. Et nous sommes à même d'élire des candidats porteurs d'un véritable programme écologique. Certes, les dernières élections aux États-Unis ou au Brésil ont abouti à des résultats navrants. Et comme toujours, la tension, la peur, l'incertitude des temps à venir débouchent trop souvent sur l'élection d'« hommes forts », violents, bornés, pour ne pas dire arriérés (notez que je n'ai pas cité de nom : je n'ai pas le temps de me taper un procès, en plus), d'extrême droite. L'extrême droite est en outre climatosceptique. Ces climatosceptiques pensent et vivent hors-sol. Et l'avenir de l'humanité est le dernier de leurs soucis. Cette tentation de « l'homme fort », qui vous donnera à croire que le retour à l'ordre antérieur est possible, ce qui est totalement faux, cette tentation de l'extrême droite *annihilerait à coup certain tout effort de sauver le monde vivant.* À l'inverse, face au bouleversement de nos modes de vie, il est vital de s'opposer à tout sentiment d'hostilité ou réflexe de violence et de compter au contraire sur les instincts de rassemblement (et non d'isolement sur soi), de solidarité et de partage, qui se développent tout aussi bien chez l'homme dans des situations de stress [405].

Mais, hormis notre voix dans l'urne, Nous aussi, comme je n'ai eu de cesse de le répéter, nous avons beaucoup à faire et sommes capables de *peser lourdement* sur l'indispensable changement à venir.

Et je commence par le secteur essentiel, on l'a vu, *de l'élevage et de l'agriculture associée, qui ont atteint des proportions démesurées et destructrices.* Pour rappel rapide, le couple élevage-agriculture génère 37 % du méthane, 65 % du protoxyde d'azote et 9 % du CO_2 du total des émissions de l'humanité, plus des gaz fluorés utilisés dans la chaîne du froid. Il est aussi *le plus grand poste* de la consommation de l'eau dans le monde (70 %), et la première cause de la pollution de l'eau. Il est également responsable de la déforestation, de l'épuisement des sols, de celui du phosphore, et des pluies acides. Un bilan énorme et catastrophique, sur lequel nous pouvons agir vite et directement : en réduisant *notre consommation de viande, de 90 % pour les pays développés en particulier, en bannissant la charcuterie nitritée cancérogène, en refusant les biocarburants.*

Je l'ai déjà écrit : moi non plus cela ne m'amuse pas de me priver de viande ! Mais ce faisant – et nous devons le faire –, nous ferons basculer tout le système agroalimentaire du monde, nous réduirons ainsi de manière *déterminante* l'empreinte des gaz à effet de serre, l'épuisement de l'eau, la déforestation, la pollution des eaux, la destruction des sols, nous éviterons la fin du phosphore, nous mettrons fin aux pluies acides et nous rendrons aux populations les sols dont elles ont besoin pour se nourrir ou les reforester. Pensez, pour accroître votre courage dont je ne doute pas, aux conséquences très graves pour la santé de cette surconsommation folle de viande et de viande transformée (la charcuterie), de laitages et de fromages. Mais ne remplaçons pas inconsidérément la viande par trop de poisson (beaucoup sont menacés de disparition), chargé de métaux lourds, efforçons-nous de suivre les consommations hebdomadaires ou mensuelles que j'ai données au cours de ce petit texte.

Comme je l'ai dit aussi, cet insignifiant petit livre sera bien incapable d'entraîner des centaines et des centaines de millions de personnes issues des pays les plus dévoreurs de viande à réduire leur consommation ! Or c'est pourtant bien ce qu'il faudrait pour atteindre nos objectifs, vitaux. Seule la circulation des informations sur les réseaux du Net peut nous donner l'espoir d'y parvenir. J'avoue, je l'ai déjà dit, que je compte sur vous pour m'y aider. Mais vous voyez que Nous avons vraiment entre les mains, si nous sommes assez nombreux, un levier magistral capable de faire plier l'actuelle industrie agroalimentaire.

Après cette action essentielle, je vais donc re
cer une énumération (et mon Censeur va f
surchauffe), mais celle-ci sera plus vivifiante que la précédente puisqu'elle va nous récapituler tous nos autres moyens d'intervenir, d'agir, de faire, d'influer, d'impacter, bref de nous bagarrer pour sauver ce monde. Ce qui est autrement plus revigorant et réconfortant que d'attendre passivement que les gouvernants se mettent au boulot. Nous allons même, sur certains plans, les précéder, ce qui sera singulièrement satisfaisant.

Pour lutter contre la déforestation, et hormis la fin de cet élevage-agriculture mortifère, *boycottons, bien sûr, les bois tropicaux endémiques* en contrôlant l'origine de ce que nous achetons pour notre habitat, et optons pour les labels PEFC et FSC (ou équivalents).

Boycottons la calamiteuse huile de palme et fuyons tous les biocarburants.

Tournons-nous évidemment vers tous les produits de l'agriculture et de l'élevage biologiques, ce qui non seulement accélérera la chute des systèmes agroalimentaires actuels mais encore nous évitera de nous gaver de pesticides (ce qui affectera par le même coup les lobbies pétrochimiques qui les produisent). Le nombre de magasins de produits bio augmente à vue d'œil et continuera de s'accroître grâce à la pression des acheteurs, la Nôtre. Je rappelle que le développement de l'agriculture biologique à l'échelle mondiale permettrait de nourrir l'ensemble de la population présente et à venir, et jusqu'à 11 milliards d'habitants en appliquant les dernières techniques. De la même manière, concernant tous les produits ménagers, depuis les lessives jusqu'aux papiers toilette, *achetons les produits certifiés verts, qui existent à présent en abondance.*

Diminuons notre consommation de sucre (pour rappel, une culture très néfaste pour la Terre et pour la santé), de chocolat (oui…, sauf chocolat peu sucré certifié bio), de soja, de tofu, de miel non bio, mais pas de café si nous choisissons un produit cultivé à l'ombre et certifiant la protection de la forêt. Limitons notre consommation de riz.

— Bip. « Faites ceci, faites cela », cette liste a un caractère impératif qui n'est pas plaisant pour le lecteur. Vous n'êtes pas une donneuse d'ordres, que je sache.

— Mes lecteurs savent parfaitement que je ne suis en aucun cas une « donneuse d'ordres ». Je maintiens ce cap tant les objectifs à atteindre sont impérieux et urgents. C'est de notre survie qu'il s'agit.

— Soit. À vos risques et périls.

Il est encourageant, mon Censeur, vous ne trouvez pas ? C'est à croire qu'il essaie de bousiller mon boulot.

Nous, les Gens et les agriculteurs qui sont du nombre, devons *réduire notre consommation d'eau*, en veillant de près aux fuites des robinets et toilettes (pouvant aller jusqu'à une perte de 1 300 litres par jour pour ces deux fuites combinées), en prenant des douches plutôt que des bains, en buvant de l'eau du robinet (économie de plastique), et les agriculteurs devront adopter des techniques d'irrigation modernes (goutte-à-goutte, aspersion rigoureuse…), déjà détaillées plus haut dans mon énumération « ennuyeuse comme la pluie », selon mon Censeur. (On note ici qu'il m'a vexée, c'est incontestable.) Pour mémoire, réduire ne serait-ce que de 13 % la quantité d'eau utilisée en agriculture épargnerait l'équivalent de la consommation mondiale des foyers ! Pour préserver l'eau potable, *évitons bien sûr les produits des grandes firmes prédatrices* dont je vous ai parlé.

Nous, les Gens, pouvons aussi atteindre le lobby de l'industrie du textile, consommatrice d'eau, très polluante (1,2 milliard de tonnes de gaz à effet de serre par an), et dont 73 % de la matière première finit en décharge ou incinéré avec seulement 13 % des matières utilisées recyclées en fin de vie. Nous n'utilisons pas 50 à 70 % de nos vêtements, *tentons de nous limiter idéalement à quelque 30 pièces d'habillement par personne* et de choisir des fibres naturelles. Quant aux vêtements que nous ne portons plus, *ne les jetons surtout pas* mais donnons-les bien sûr aux organismes de collecte. *Lavons notre linge synthétique dans des pochettes spéciales* qui retiennent 90 % des fibres (pour rappel, car le chiffre est impressionnant, 1 224 819 microfibres de plastique sont libérées dans les eaux pour un lavage de 6 kilos de linge !) ou *optons pour les nouvelles machines à laver équipées de filtres les captant.* Ah oui, j'oubliais : lavons notre linge à 30 °C ou 40 °C plutôt qu'à 60 °C. À 40 °C, on économise 70 % d'énergie par rapport à un lavage à 90 °C, ce n'est vraiment pas rien.

Agissons aussi fortement sur les plastiques, *utilisons nos propres sacs pour faire nos courses, limitons nos achats en barquettes et emballages plastique, ne jetons pas plastiques et mégots par terre* (un seul filtre de mégot pollue

500 litres d'eau !), privilégions des matières autres que ce plastique.

Si cela vous est possible, et avec l'aide de l'État, équipez-vous *d'une chaudière de type « Flamme verte »* (ou équivalent dans d'autres pays), à très faible émission de gaz à effet de serre et de particules, et baissez-en le thermostat pendant la nuit. Si vous avez une cheminée ouverte, à la campagne par exemple, il va falloir là aussi la remplacer par des appareils verts (c'est un gros sacrifice, je ne blague pas, car quoi de plus réconfortant qu'un bon feu de bois dans la pièce au soir ?). À l'opposé du chauffage, *limitons autant que possible notre chaîne du froid* (souvenez-vous des gaz fluorés…). Si le freezer de votre réfrigérateur vous suffit pour garder des produits surgelés et si vous n'avez pas besoin d'un méga frigo, n'hésitez pas à réduire vos équipements ! Tant que nous sommes dans la cuisine, j'y pense : *recyclons tous nos déchets.* Quant au climatiseur, si vous en avez un, réglez-le en temps de chaleur sur 25 °C plutôt que sur 19 °C.

Et, parlant gaz fluorés, *pensons fortement au très inquiétant gaz* NF_3, dont le volume *augmente de 11 % par an.* Sachant qu'il sert beaucoup à la fabrication des écrans plats, téléviseurs, ordinateurs, tablettes, smartphones (sans compter qu'entre sa fabrication et les centres de données, on estime que le numérique émet autant de gaz à effet de serre que l'aviation, et que les batteries de ces machines fonctionnent au lithium), *il nous faut en limiter de beaucoup nos achats* et cette affaire est très sérieuse : on peut très bien vivre avec une seule télévision et une seule tablette (ou aucune). Un seul ordinateur peut aussi suffire, chacun possédant un smartphone qui peut être utilisé pour le même usage. Il paraît difficile aujourd'hui de se priver d'un téléphone portable (pourtant nous le faisions sans problème il y a seulement 25 à 30 ans), mais au moins, ne nous jetons pas sur le dernier modèle de smartphone alors que le nôtre est en parfait état de marche. Gardons-le aussi longtemps que possible avant de le renouveler. Je l'ai déjà dit, les jeunes gens, les plus accros à ces machines, mais aussi les plus alarmés par la détérioration du monde vivant, comprendront plus vite que d'autres la nécessité d'une réduction de ces appareils.

Point difficile : *prenons le train plutôt que l'avion* pour des destinations courtes et, en ville, *réduisons l'utilisation de nos voitures, prenons les transports en commun* (ou bien marchons ! Ce qui est très bon pour la santé…). Si nous nous décidons à l'achat d'une voiture électrique, choisissons les batteries sodium-ion, qui n'utilisent pas le lithium. Mais attention au phosphore qu'elles contiennent, surveillons-les de très près.

Voilà pour nos moyens d'action dont vous voyez que les impacts, comme je l'avais dit au début de ce livre, peuvent être capitaux et même décisifs. Alors, allons-y !

tbJ'ai bien du mal à conclure, dans l'ignorance où je suis, comme vous, de l'attitude à venir des gouvernants les plus influents de ce monde en péril, c'est-à-dire des pays riches, ou très pollueurs comme la Chine ou l'Inde. S'obstineront-ils à signer des accords non tenus, à nous promettre des actions qui n'adviendront pas ? Assumeront-ils, *si rien n'est fait*, les conséquences du réchauffement climatique, l'advenue de manque d'eau, de famines, et la mise en péril de la moitié ou des trois-quarts, ou de la quasi-totalité de l'humanité et des êtres vivants ? Ou bien prendront-ils conscience, vraiment conscience, de l'immensité du danger, et si oui, quand ? *Quand ?* Ont-ils donc si peur du changement de nos modes de vies, que nous pouvons fort bien soutenir, Nous ? Combien d'années encore vont-ils laisser le monde vivant foncer vers sa destruction ? Alors que, on l'a vu dans cette revue rapide, il existe déjà des quantités d'actions nouvelles dans tous les domaines, aptes à entrer en fonction dès demain. Aptes à freiner, réduire puis interrompre le processus en cours. Mais qu'attendent-ils ? C'est là une immense énigme, s'agissant du péril le plus grave qui ait jamais menacé l'humanité entière. *Qu'attendent-ils ?*

Mais Nous, si petits nous considèrent-Ils, Nous n'attendrons pas. Que ce soit par les actes que j'ai énumérés, les pétitions, les manifestations et les élections, Nous n'attendrons pas. Nous l'avons vu, Nous avons entre les mains de puissants moyens, mais aussi notre très précieux bulletin de vote. Partout dans le monde, déception après déception, des gens se lèvent, s'opposent, exigent même. Cette masse peut augmenter très vite, et elle augmentera à coup sûr. J'ai dit que c'en était fini de la confiance et de la crédulité des Gens. Et quand les premières famines, pénuries, migrations, frapperont le monde – et elles frappent déjà –, alors sonnera la fin du pouvoir de ces responsables indifférents (Trump, Bolsonaro et d'autres) ou bien ankylosés et impotents, paralysés dans les mains des lobbies et incapables de se désaccoutumer de l'objectif Argent d'abord. En ont-Ils seulement conscience, que leur inertie ne peut durer plus longtemps ?

Et quand viendra cette fin de leur pouvoir passif, alors, enfin, pourra-t-on assainir et repenser le monde et notre fonctionnement, alors, enfin, arrivera le temps d'une vie durable. Et ce temps arrivera. Mais ne faisons pas comme Eux : relevons nos manches et travaillons, agissons, restons vigilants et votons, et votons bien pour des responsables conscients, actifs, sincères. Et soyons des centaines de millions à le faire, vite, très vite, qui entraîneront d'autres centaines à la suite. C'est cela, la Troisième Révolution.

Nous la réussirons.

Solidairement à tous,
Fred Vargas

Ce livre a été construit à partir de travaux de chercheurs du monde entier. L'auteur a exploré pour nous les données et analyses émanant d'universités, de revues scientifiques spécialisées, de sites internet dédiés, d'associations pour la défense de l'environnement qui font état des avancées et des constats d'experts relatifs à la situation actuelle et future de notre planète. On trouvera dans les pages suivantes un répertoire quasi exhaustif des très nombreuses sources sur lesquelles Fred Vargas s'est appuyée.

Les lecteurs pourront ainsi approfondir les sujets abordés dans ce livre. Que leurs auteurs soient ici reconnus et remerciés.

1. Jared Diamond, *Effondrement* (2004), Gallimard Folio Essais, 2009.
2. https://youtube.com/watch?v=lkDEnlylgGRO.
3. http://www.statistiques.developpement-durable.gouv.fr/energie-climat/s/climat-effet-serre-emissions-gaz-effet-serre.html – sd.
4. http://www.statistiques.developpement-durable.gouv.fr/fileadmin/documents/Produits_editoriaux/Publications/Datalab/2017/datalab-27-CC-climat-nov2017-b.pdf – sd.
5. *Ibid.*
6. https://www.ecologique-solidaire.gouv.fr/biogaz – 01/02/2017.
7. https://www.ecologique-solidaire.gouv.fr/substances-impact-climatique-fluides-frigorigenes – 22/11/2017.
8. https://eia-international.org/wp-content/uploads/eia_euf_gas_french_abridged_medres-1.pdf – mai 2016.
9. Source Oxfam – http://www.lefigaro.fr/conjoncture/2018/01/22/20002-20180122ARTFIG00140-plus-de-80-de-la-richesse-mondiale-va-au-1-les-plus-riches.php – 23/01/2018.

10. https://www.tdg.ch/monde/fondation-bill-gates-ecologique/story/29565649 – 20/03/2015.

11. http://www.lefigaro.fr/conjoncture/2017/11/07/20002-20171107ARTFIG00163-les-chiffres-astronomiques-de-l-evasion-fiscale.php – 07/11/2017.

12. http://cdurable.info/COP24-le-temps-de-l-action.html – 18/12/2018.

13. https://www.latribune.fr/technos-medias/alphabet-la-maison-mere-de-google-evite-des-milliards-de-dollars-d-impots-763396.html – 03/01/2018.

14. https://www.europe1.fr/international/climat-nous-sommes-en-train-de-perdre-la-course-alerte-guterres-3844553 – 24/01/2019.

15. *Aujourd'hui en France*, 04/12/2018.

16. Alerte du journal *Proceedings of the National Academy of Sciences (PNAS)*, https://www.notre-planete.info/actualites/1441-rechauffement-climatique-Terre-non-retour – 08/08/2018.

17. Pablo Servigne et Raphaël Stevens, *Comment tout peut s'effondrer*, Le Seuil, 2015.

18. *Ibid.*

19. https://www.nationalgeographic.fr/environnement/les-trois-quarts-de-lhumanite-menaces-de-mourir-de-chaud-en-2100 – post 2017.

20. https://amp.france24.com/fr/20190130-etats-unis-vague-froid-brice-lalonde-trump-rechauffement-climatique-australie – 30/01/2019.

21. https://www.laterredufutur.com/accueil/un-monde-alarmiste-et-qui-veut-faire-peur-lapocalypse-annoncee/ – 11/08/2017.

22. https://www.nationalgeographic.fr/environnement/les-trois-quarts-de-lhumanite-menaces-de-mourir-de-chaud-en-2100 – post 2017.

23. GIEC, *in* : https://hitek.fr/actualite/la-canicule-tuera-le-monde_13327 – 21/06/2017.

24. *Nature Climate Change, in* : https://www.sciencesetavenir.fr/sante/en-2100-les-trois-quarts-de-l-humanite-risquent-de-mourir-de-chaud_113963 – 20/06/2017.

25. https://www.futura-sciences.com/planete/actualites/climatologie-taux-gaz-effet-serre-atmosphere-atteignent-nouveau-record-58177/ – 23/11/2018.

26. Jean-Marc Jancovici, https://inis.iaea.org/collection/NCLCollectionStore/_Public/40/108/40108843.pdf.

27. Jean-Marc Jancovici, *L'Avenir climatique. Quel temps ferons-nous ?*, Le Seuil, 2017.

28. *Ibid.*

29. https://jancovici.com/changement-climatique/gaz-a-effet-de-serre-et-cycle-du-carbone/quels-sont-les-gaz-a-effet-de-serre-quels-sont-leurs-contribution-a-leffet-de-serre/ – août 2007.

30. https://www.letemps.ch/sciences/chaleur-humide-menace-rendre-lasie-sud-invivable-dici-2100 – 03/08/2017.

31. https://www.rtl.fr/actu/meteo/rechauffement-climatique-l-asie-pourrait-devenir-invivable-d-ici-2100-7789591297 – 03/08/2017.

32. http://news.mit.edu/2018/china-could-face-deadly-heat-waves-due-climate-change-0731 – 31/08/2018.

33. Source Massachusetts Institute of Technology (MIT).

34. https://solidarites-sante.gouv.fr/soins-et-maladies/maladies/maladies-infectieuses/article/la-dengue-information-et-prevention – 20/08/2015.

35. https://actu.lachainemeteo.com/actualite-meteo/2018-12-18/2018-annee-la-plus-chaude-en-france-depuis-1900-49519 – 18/12/2018.

36. https://www.futura-sciences.com/planete/questions-reponses/rechauffement-climatique-consequences-rechauffement-climatique-1298/ – sd.

37. https://www.lesechos.fr/monde/enjeux-internationaux/0302370846171-climat-le-rapport-alarmant-du-giec-en-quatre-chiffres-2211763.php – 09/10/2018.

38. *Ibid.*

39. https://www.lemonde.fr/planete/article/2018/03/23/sur-tous-les-continents-la-nature-et-le-bien-etre-humain-sont-en-danger_5275433_3244.html – 30/1/19. Selon les experts mondiaux de l'IPBES (Plateforme intergouvernementale scientifique et politique sur la biodiversité et les services écosystémiques) et du GIEC de la biodiversité.

40. *Ibid.*

41. https://www.coralguardian.org/les-coraux-importants/ – sd.

42. *Ibid.*

43. *Ibid.*

44. https://www.20minutes.fr/planete/2403815-20181226-japon-reprise-chasse-baleine-non-sens-economique – 26/12/2018.

45. https://www.lemonde.fr/planete/article/2018/03/23/sur-tous-les-continents-la-nature-et-le-bien-etre-humain-sont-en-danger_5275433_3244.html – 24/03/2018.

46. https://www.lexpress.fr/actualite/societe/environnement/les-megots-de-cigarettes-principale-pollution-des-oceans_2032723.html – 28/08/2018.

47. Nicolas Hulot, 22/11/2018 – « L'émission politique », France 2.

48. https://www.viande.info/les-emissions-de-gaz-effet-de-serre-dans-le-monde.

49. https://www.franceinter.fr/environnement/cop24-la-chine-largement-en-tete-du-top-20-des-plus-gros-emetteurs-de-co2 – 24/11/2018.

50. https://www.actu-environnement.com/ae/dictionnaire_environnement/definition/gaz_a_effet_de_serre_ges.php4 – 02/03/2018.

51. https://information.tv5monde.com/info/rechauffement-climatique-le-n2o-l-autre-gaz-a-effet-de-serre-43468 – 03/12/2015.

52. http://www.univers-nature.com/actualite/agriculture-chasse/de-l%C2%92arsenic-dans-le-riz%C2%85-55066.html – sd.

53. https://www.novethic.fr/actualite/environnement/agriculture/isr-rse/le-chiffre-les-rizieres-emettent-autant-de-protoxyde-d-azote-que-200-centrales-a-charbon-un-gaz-bien-plus-dangereux-que-le-co2-146377.html – 30/09/2018.

54. https://jancovici.com/changement-climatique/gaz-a-effet-de-serre-et-cycle-du-carbone/quels-sont-les-gaz-a-effet-de-serre-quels-sont-leurs-contribution-a-leffet-de-serre/ – 01/08/2007.

55. https://www.picbleu.fr/page/gaz-a-effet-de-serre-qui-absorbent-une-partie-des-rayons-solaires – 27/11/2018.

56. https://www.novethic.fr/actualite/environnement/agriculture/isr-rse/le-chiffre-les-rizieres-emettent-autant-de-protoxyde-d-azote-que-200-centrales-a-charbon-un-gaz-bien-plus-dangereux-que-le-co2-146377.html – 30/09/2018.

57. https://www.notre-planete.info/actualites/4573-augmentation-emissions-methane – 23/01/2017.

58. http://www.michele-rivasi.eu/a-la-une/methane-le-gaz-qui-pese-lourd-sur-le-climat/ – 28/04/2018.

59. https://www.bio-thorey.fr/principe-de-la-methanisation/le-principe-de-la-methanisation.html – sd.

60. Produit développé par la société suisse Zaluvida.

61. https://www.letemps.ch/sciences/rendre-vaches-polluantes – 05/04/2018.

62. https://www.picbleu.fr/page/gaz-a-effet-de-serre-qui-absor bent-une-partie-des-rayons-solaires – 27/11/2018.

63. https://www.novethic.fr/actualite/environnement/climat/isr-rse/vers-l-elimination-des-hfc-un-gaz-23-000-fois-plus-rechauffant-que-le-co2-142915.html – 25/11/2014.

64. https://library.e.abb.com/public/6d9d0f94f7bfe39ac1257aa 000314c2a/22-25%201m218_FR_72dpi.pdf – sd.

65. https://e-rse.net/empreinte-environnementale-numerique-sala rie-greenit-19453/#gs.P56pskeT – avril 2016.

66. https://blog.wika.fr/savoir-faire.qu'est-ce-que-lhexaflorure-de-soufre-ou-gaz-sf6/ – 13/07/2018.

67. https://www.tennaxia.com/blog-ges-fluores-les-enjeux-du-nou veau-reglement/ – 02/09/2014.

68. https://etatdeslieuxfrance.fr/wp/environnement-2/accord-de-reduction-des-hfc/ – sd.

69. http://www.enerzine.com/des-alternatives-aux-gaz-fluores-a-fort-potentiel-de-rechauffement-global/16830-2014-01 – 2014.

70. http://www.cemafroid.fr/doc_telechargement/OGF-rapport-annuel-201606.pdf – 2016.

71. https://www.cnrs.fr/cw/dossiers/doseau/decouv/mondial/04_risque.htm – sd.

72. https://www.nextinpact.com/brief/samsung-travaille-sur-des-batteries-au-graphene-a-charge-rapide-1540.htm – 29/11/2017.

73. https://www.encyclo-ecolo.com/Epuisement_des_ressources_naturelles – sd.

74. Pablo Servigne et Raphaël Stevens, *op. cit.*

75. https://sn.boell.org/fr/2017/11/02/le-mensonge-de-la-geo-in genierie – 02/11/2017.

76. https://www.futura-sciences.com/planete/definitions/deve loppement-durable-fertilisation-oceans-7065/).

77. https://www.futura-sciences.com/planete/actualites/oceanographie-geoingenierie-fertiliser-oceans-fer-idee-toxique-23060/.

78. https://sn.boell.org/fr/2017/11/02/le-mensonge-de-la-geo-ingenierie – 02/11/2017.

79. http://encyclopedie-dd.org/encyclopedie/neige-neige-territoires-neige/3-1-quels-choix-energetiques/la-geo-ingenierie-climatique.html.

80. Travaux publiés dans *Nature Communications, in* : http://www.journaldelenvironnement.net/article/le-captage-du-co2-grace-a-une-enzyme-biologique,91336 – 13/04/2018.

81. https://www.livingcircular.veolia.com/fr/industrie/une-nouvelle-action-pour-capter-et-recycler-le-co2 – 14/02/2018.

82. http://www.outthere.fr/briefs/suffirait-il-daspirer-le-co2-dans-lair-pour-sauver-le-monde/.

83. http://www.malinet.net/flash-info/carbon-engineering-veut-produire-a-lechelle-industrielle-de-lenergie-a-partir-du-co2/ – 2017.

84. https://www.livingcircular.veolia.com/fr/industrie/des-chercheurs-transforment-le-co2-en-pierre – 28/10/2016.

85. https://www.heitzmann.ch/fr/bon-a-savoir/10-arguments-convaincants-en-faveur-dune-chaudiere-aux-pellets/ – sd.

86. https://www.neozone.org/ecologie-planete/cette-gigantesque-tour-depolluante-aurait-reussi-a-ameliorer-la-qualite-de-lair-dans-la-ville-de-xian-en-chine/ – 28/01/2018.

87. https://carnouxprogres.wordpress.com/2018/08/14/un-designer-aux-idees-lumineuses/ – 14/08/2018.

88. *Le Parisien*, 7 décembre 2018, « Tours du monde écolos ».

89. https://www.leroymerlin.fr/v3/p/magazine-l1501772904 – 2018.

90. Rapport de l'ONU – http://www.skyfall.fr/2008/06/05/quelques-gestes-simples-pour-reduire-ses-emissions-de-co2/ – 05/06/2008.

91. https://www.greenpeace.fr/impact-environnemental-solaire/ – sd.

92. Étude commandée par l'ONG Transport & Environment.

93. Observatoire de la qualité de l'air Airparif – 2012.

94. https://www.francetvinfo.fr/economie/automobile/diesel/pourquoi-la-voiture-electrique-pollue-plus-que-ce-que-vous-pensez_3030669.html – 05/10/2018.

95. https://lexpansion.lexpress.fr/actualite-economique/freins-et-pneus-l-autre-pollution-aux-particules-fines_2037239.html – 05/10/2018.

96. Entreprise Mann+Hummel.

97. Tallano Technologie.

98. https://www.challenges.fr/automobile/dossiers/le-filtre-a-particule-de-freins-en-test-a-la-mairie-de-paris_613830 – 20/09/2018.

99. https://mag.aramisauto.com/le-choix-de-la-redac/freins-et-pneus-les-autres-particules-fines/ – 15/10/2018.

100. International Council on Clean Transportation.

101. https://www.caradisiac.com/une-nouvelle-etude-annonce-la-voiture-electrique-comme-bien-plus-ecologique-que-le-thermique-166206.htm – 12/02/2018.

102. https://www.renouvelle.be/fr/debats/lenergie-durable-se-developpera-sans-terres-rares – 16/04/2018.

103. En cycle NEDC : NEDC, pour New European Driving Cycle ou Nouveau Cycle de Conduite Européen.

104. https://www.automobile-propre.com/dossiers/autonomie-voiture-electrique/ – 31/07/2018.

105. https://www.auto-moto.com/green/voitures-electriques-tous-les-modeles-du-marche-leur-prix-leur-autonomie-renault-tesla-nissan-peugeot-bmw-55400.html#item=20 – 03/01/2019.

106. https://e-rse.net/transition-energetique-plan-climat-lithium-reserves-26282/#gs.fHamMSyJ – 07/07/2017.

107. https://www.encyclo-ecolo.com/Epuisement_des_ressources_naturelles – sd.

108. https://digitalcongo.net/article/5b4f5413aa5a290004a7015e/ – 18/07/2018.

109. https://easyelectriclife.groupe.renault.com/fr/tendances/energie/un-accord-europeen-en-faveur-de-leconomie-circulaire-des-batteries/ – 27/06/2018.

110. https://e-rse.net/batteries-voitures-electriques-impact-environnement-27293/#gs.wzIWcQ4 – 19/10/2017.

111. https://www.clubic.com/amp/849915-graphene-materiau-miracle-proprietes-alterees-humidite.html 27/01/2019.

112. https://www.techniques-ingenieur.fr/actualite/articles/voiture-hydrogene-energie-56855/ – 29/08/2018.

113. https://www.auto-moto.com/techno/moteur-transmission/fonctionnent-voitures-a-hydrogene-fp-160786.html – 29/03/2018.

114. https://www.generation-nt.com/batteries-sodium-ion-technologie-progresse-actualite-1957316.html.

115. https://agriculture-de-conservation.com/La-penurie-de-phosphore-d-ici-peu.html, *La Recherche*, 2010.

116. https://www.encyclopedie-environnement.org/eau/phosphore-et-eutrophisation/ – 27/06/2018.

117. https://www.un.org/sustainabledevelopment/fr/2017/03/22/face-aux-besoins-les-eaux-usees-representent-une-ressource-precieuse-selon-lonu/ – 22/03/2017.

118. http://www.eautarcie.org/05e.html – 03/04/2012.

119. https://agriculture-de-conservation.com/La-penurie-de-phosphore-d-ici-peu.html – *La Recherche*, 2010.

120. *Ibid.*

121. Communiqué de presse de l'UNESCO et de l'ONU-Eau N° 2017-26, *in* : https://www.neptune-club-brunoy.fr/index.php/12-activites/biologie/121-eaux-usees.

122. https://www.oie.int/doc/ged/D8186.PDF – sd.

123. https://8e-etage.fr/2015/02/11/on-redessine-le-monde-veaux-vaches-cochons/ – 11/02/2015.

124. Qui sont sous forme de pentoxyde de phosphore.

125. Agriculture biologique, rendements équivalents : http://www.fondation-nature-homme.org/magazine/agriculture-bio-permaculture-agroecologie-quelles-differences/ – 01/03/2018.

126. https://www.infohightech.com/un-ultra-condensateur-hybride-francais-augmente-radicalement-la-puissance-et-lefficacite-des-batteries-au-lithium/ – 13/06/2018.

127. https://www.la-croix.com/Economie/France/Le-nombre-bornes-vehicules-electriques-progresse-lentement-2018-07-05-1200952727 – 05/07/2018.

128. https://www.latribune.fr/entreprises-finance/industrie/automobile/vehicules-electriques-il-faut-multiplier-les-bornes-781083.html – 08/06/2018.

129. *Ibid.*

130. https://www.connaissancedesenergies.org/le-marche-mondial-des-vehicules-electriques-en-chiffres-cles-180530 – 30/04/2018.

131. https://controversciences.org/summaries/28 – sd.

132. https://www.climat.be/fr-be/changements-climatiques/les-rapports-du-giec/2018-rapport-special/ – 2018.

133. https://usbeketrica.com/article/les-forêts-tropicales-liberent-dux-fois-plus-de-CO2-qu-elles-n-en-absorbent.

134. https://www.greenpeace.fr/amazonie-un-inestimable-patrimoine-ecologique-en-danger/ – 2016.

135. Nicolas Bourcier, *Les Amazoniens en sursis,* HDateliers henry dougier, 2016.

136. http://tpe-deforestation-amazonie.e-monsite.com/pages/ii-les-consequences/b-quelles-sont-les-consequences-de-la-deforestation-en-amazonie.html – 10/09/2018.

137. *Nature Climate Change, in* : http://www.lefigaro.fr/sciences/2014/12/28/01008-20141228ARTFIG00095-l-impact-meconnu-de-la-deforestation-sur-les-precipitations.php – 2014.

138. *Science Advances, in* : https://sciencepost.fr/2018/11/amazonie-lequivalent-dun-million-de-terrains-de-football-perdus-en-un-an/ – 29/11/2018.

139. https://www.consoglobe.com/deforestation-dans-le-monde-cg – 05/10/2018.

140. https://sciencepost.fr/2018/11/amazonie-lequivalent-dun-million-de-terrains-de-football-perdus-en-un-an/ – 29/11/2018.

141. SumOfUs.org – Huile de palme – 30/08/2018.

142. change.org.

Et : https://all4trees.org/campagnes/zero-empreinte-foret/tribune/ – sd.

143. http://www.cite-sciences.fr/fr/ressources/science-actualites/detail/news/vers-une-exploitation-durable-des-forets-du-congo/?tx_news_pi1%5Bcontroller%5D=News&tx_news_pi1%5Baction%5D=detail&cHash=8a44eea88e13ccc7691961215925d00f – 22/12/2014.

144. https://www.futura-sciences.com/planete/questions-reponses/developpement-durable-bambou-il-materiau-ecologique-4848/ – sd.

145. https://www.futura-sciences.com/maison/questions-reponses/menuiserie-construction-bambou-elle-ecologique-4165/.

146. *Ibid.*

147. https://www.consoglobe.com/bambou-ecolo-jusqu-bout-4569-cg – sd.

148. https://www.futura-sciences.com/planete/questions-reponses/developpement-durable-bambou-il-materiau-ecologique-4848/ – sd .

149. https://www.consoglobe.com/les-vetements-en-bambou-sont-ils-vraiment-ecologiques-cg/2 – 24/08/2017.

150. https://www.amisdelaterre.org/huiledepalme.html – 30/10/2017.

151. SumOfUs.org – « Huile de palme » – 20/11/2018.

152. https://www.amisdelaterre.org/huiledepalme.html – 30/10/2017.

153. ONG Transport et Environnement, https://lemonde.fr/energies/article/2016/04/28/les-biocarburants-emettent-plus-de-CO2.

154. http://www.leparisien.fr/societe/energies-du-petrole-a-l-huile-de-palme-des-biocarburants-pas-si-propres-17-05-2018-7721313.php.

155. https://www.techniques-ingenieur.fr/actualite/articles/algocarburants-bilan-agrocarburants-53532/ – 29/03/2018.

156. https://www.ademe.fr/entreprises-monde-agricole/reduire-impacts/reduire-emissions-polluants/dossier/protoxyde-dazote-n2o/definition-sources-demissions-impacts-protoxyde-dazote – 28/08/2017.

157. Rapport de la FAO – http://www.conservation-nature.fr/article2.php?id=105 – sd.

158. http://www.ara.inra.fr/Le-centre-Les-recherches/Elevage-a-l-herbe/Elevage-gaz-a-effet-de-serre-et-stockage-de-carbone/(key)/3 – 23/07/2018.

159. Rapport de la FAO – http://www.conservation-nature.fr/article2.php?id=105 – sd.

160. https://www.notre-planete.info/actualites/2202-surconsommation_viande – 16/12/2018.

161. ABCD Agency, https://www.usinenouvelle.com – 08/04/2018.

162. https://www.tuxboard.com/carte-monde-mangent-plus-de-viande/ – 18/03/2017.

163. https://www.up-inspirer.fr/43382-les-5-plus-gros-producteurs-de-viande-et-lait-reunis-emettent-plus-que-les-gros-groupes-petroliers – 24/08/2018.

164. https://www.bioaddict.fr/article/et-les-aliments-les-plus-polluants-sont-a2586p1.html – 22/12/2011.

165. FAO, 2006. Livestock Long Shadow, Rome : Food and agriculture organisation of the United Nations.

166. https://www.notre-planete.info/actualites/2202-surconsommation_viande – 27/11/2018.

167. Revue *Sciences,* estimation de la FAO, https://www.cnews.fr/monde/2018-08-21/la-consommation-de-viande-principale-cause-du-rechauffement-climatique-725924 – 05/11/2018.

168. *Ibid.*

169. https://www.notre-planete.info/actualites/2202-surconsommation_viande – 16/12/2018.

170. https://www.consoglobe.com/epuisement-fin-phosphore-cg/2 – 01/01/2013.

171. http://www.inra.fr/Grand-public/Rechauffement-climatique/Tous-les-dossiers/Changement-climatique-gaz-a-effet-de-serre-et-agriculture/Protoxyde-d-azote-gaz-a-effet-de-serre/(key)/3 – 13/02/2015.

172. http://www.conservation-nature.fr/article2.php ?id=105 – sd.

173. https://www.ademe.fr/entreprises-monde-agricole/reduire-impacts/reduire-emissions-dammoniac-mh3.

174. https://www.notre-planete.info/actualites/2202-surconsommation_viande – 16/12/2018.

175. https://www.futura-sciences.com/planete/questions-reponses/eau-faut-il-litres-eau-produire-932/ – sd.

176. https://www.cnews.fr/monde/2018-08-21/la-consommation-de-viande-principale-cause-du-rechauffement-climatique-725924 – 05/11/2018.

177. https://www.notre-planete.info/actualites/2202-surconsommation_viande – 16/12/2018.

178. http://alguesvertessurlescotes.e-monsite.com/pages/l-origine-des-marees-vertes.html – sd.

179. https://www.la-croix.com/Actualite/Monde/Algues-vertes-decryptage-d-un-phenomene-mondial-2014-07-11-1177671 – 11/07/2014.

180. https://www.sciencesetavenir.fr/nature-environnement/reduire-la-consommation-de-viande-pour-preserver-le-climat-selon-une-etude_128466 – 11/10/2018.

181. http://www.lefigaro.fr/conso/2018/09/06/20010-20180906ARTFIGG00151-les-francais-consomment-de-moins-en-moins-de-viande.php – 06/09/2018.

182. Cahier spécial COP24, *Aujourd'hui en France,* 01/12/2018.

183. https://www.viande.info/fichiers/pdf/viande.pdf – sd.

184. La consommation de viande ro https://www.notre-planete.info/actualites/2202-surconsommation_viandeuge nuit à la santé – sd.

185. *Ibid.*

186. https://www.notre-planete.info/actualites/4364-cancer-alimentation-viande – 25/01/2017.

187. La consommation de viande ro https://www.notre-planete.info/actualites/2202-surconsommation_viandeuge nuit à la santé – sd.

188. http://www.gauchemip.org/spip.php ?article25469 – 21/01/2019.

189. *Ibid.*

190. https://www.notre-planete.info/actualites/2202-surconsommation_viande – 03/01/2019.

191. https://e-rse.net/quel-lait-vegetal-ecologique-vache-269974/#gs.P2KHBis – 06/04/2018.

192. http://www.web-agri.fr/observatoire_marches/article/l-evolution-du-marche-ne-presente-pas-de-risque-pour-les-producteurs-1192 9-138696.html – 04/06/2018.

193. https://e-rse.net/quel-lait-vegetal-ecologique-vache-269974/#gs.P2KHBis – 06/04/2018.

194. *Ibid.*

195. https://www.fermedubec.com/la-permaculture/ – sd.

196. https://www.rts.ch/decouverte/sciences-et-environnement/maths-physique-chimie/9406631-qu-est-ce-qui-est-a-l-origine-de-la-salinite-des-sols-.html – 13/03/2018.

197. http://www.information.info/cqfs-20-des-terres-irriguees-sont-affectees-par-la-salinisation-des-sols-31/10/2014.

198. https://www.goodplanet.info/actualite/2014/10/31/salinisation-des-sols/ 31/10/2014.

199. https://www.consoglobe.com/salinisation-des-sols-cg – 22/11/2014.

200. Étude de *Que Choisir in* : https://www.francetvinfo.fr/sante/alimentation/environnement-86-des-poissons-vendus-en-grande-surface-sont-issus-d-une-peche-non-durable-selon-une-etude_3103295.html – 17/12/2018.

201. https://www.notre-planete.info/actualotes/358-pression-consommation-poissons-peche – 18/12/2018.

202. *Ibid.*

203. Brevetée par Vosteen Consulting, *in* : https://www.record-net.org/storage/etudes/12-0238-1A/rapport/Rapport_record12-0238_1A.pdf – juin 2014.

204. Breveté et développé par la société suédoise Götaverken Miljö.

205. https://www.record-net.org/storage/etudes/12-0238-1A/rapport/Rapport_record12-0238_1A.pdf – sd.

206. https://www.notre-planete.info/actualites/3653-poisson_mercure_sante – 19/10/2018.

207. https://destinationsante.com/la-liste-des-poissons-predateurs-vises-par-l-avis-de-l-afssa.html – 27/07/2006.

208. https://www.anses.fr/fr/content/consommation-de-poissons-et-exposition-au-méthylmercure – 12/05/2016.

209. https://www.notre-planete.info/actualites/3653-poisson_mercure_sante – 19/10/2018.

210. https://www.quechoisir.org/actualite-contaminants-dans-le-saumon-fume-les-labels-ont-encore-des-progres-a-faire-n48760/ – 26/11/2017.

211. Étude de l'ONG Bloom.

212. https://www.europe1.fr/societe/le-saumon-delevage-non-labellise-le-meilleur-selon-ufc-que-choisir-3533267 – 30/12/2017.

213. https://observatoire-des-aliments.fr/environnement/pois son-evitons-de-consommer-des-especes-menacees – 23/08/2017.

214. https://www.acteurdurable.org/maison/alimentation/pois sons-menaces/ – sd.

215. https://www.bastamag.net/L-Europe-restreint-l-utilisati on-du-mercure-dentaire-qui-empoisonne-la-bouche – 06/07/2018.

216. https://www.bfmtv.com/societe/frais-ou-transforme-le-pois son-cache-des-metaux-lourds-968510.html – 21/04/2016.

217. https://www.bioalaune.com/fr/actualite-bio/36132/perticides-classement-fruits-legumes-plus-contamines-20/2/18.

218. *Ibid.*

219. http://www.univers-nature.com/actualite/alimentation-san te-eau/vin-jusqua-5800-fois-plus-de-pesticides-que-dans-leau-552 91.html.

220. https://www.economie.gouv.fr/dgccrf/Publications/Vie-prati que/Fiches-pratiques/Etiquetage-des-vins – 20/11/2018.

221. https://www.bioaddict.fr/article/pesticides-et-sante-pour quoi-il-faut-eliminer-les-vins-non-bio-a5278p1.html – 23/02/2016.

222. https://www.quechoisir.org/actualite-agriculture-biologi que-le-cuivre-sur-la-sellette-n60934/ – 27/11/2018.

223. https://www.agriculture-environnement.fr/2015/11/16/ un-pesticide-present-dans-100-des-vins-bio – 16/11/2015.

224. https://www.bioaddict.fr/article/pesticides-et-sante-pour quoi-il-faut-eliminer-les-vins-non-bio-a5278p1.html – 23/02/2016.

225. PAN UK (Pesticide Action Network UK) et Organic, Naturally Different Campaign.

226. http://www.leparisien.fr/societe/pesticide-du-glyphosate-da ns-des-cereales-des-legumineuses-et-des-pates-14-09-2017-725933 7.php – 14/11/2017.

227. https://www.economie.gouv.fr/dgccrf/controle-des-resi dus-pesticides-dans-denrees-vegetales-en-2016 – 20/02/2018.

228. Cahier spécial COP24, *Aujourd'hui en France,* 01/12/2018. http://www.lemieuxetre.ch/eau/frame_eau_histoires_penurie.htm – sd.

229. https://e-rse.net/10-pires-aliments-environnement-popula ires-21098/#gs.WGVXdlk – 07/06/2016.

230. *Ibid.*

231. https://www.notre-planete.info/actualites/72-miel-contamination-pesticides-neonicotinoides – 06/10/2017.

232. https://www.francebleu.fr/infos/agriculture-peche/videos-abeilles-en-danger-les-chiffres-cles-1528297904 – 06/06/2018.

233. POLLINIS info@pollinis.org – 07/02/2019.

234. Étude conjointe du MNHN et du CNRS, 2018, *in* info@pollinis.org.

235. letemps.ch – 15/08/2018.

236. https://observatoire-des-aliments.fr/environnement/fongicides-sdhi-pesticide-peur-aux-scientifiques – 24/02/2019. Pétition sur pollinis<info@pollinis.org : « Alerte rouge ! Ils refont le cup du glyphosate avec les pesticides SDHI ».

237. https://www.valeursactuelles.com/politique/parlement-europeen-bayer-monsanto-finance-bien-le-parti-de-macron-104817-11/3/19.

238. http://www.chroniques-cartographiques.fr/2017/10/carte-stations-pesticides.html – 03/01/2018.

239. *Ibid.*

240. https://www.ecologique-solidaire.gouv.fr/lutte-contre-pollutions-leau – 12/03/2018.

241. https://www.novethic.fr/actualite/environnement/eau/isr-rse/en-france-l-eau-est-de-plus-en-plus-rare-et-polluee-a-cause-de-l-agriculture-intensive-144929.html – 23/10/2017.

242. http://www.lemieuxetre.ch/eau/frame_eau_histoires_penurie.htm – sd.

243. https://www.cnrs.fr/cw/dossiers/doseau/decouv/mondial/04_risque.htm – sd.

244. https://www.cnrs.fr/cw/dossiers/doseau/decouv/preservation/menuPreservat.html.

245. « Eau France – Les zones humides », http://www.zones-humides.org/entre-terre-et-eau/une-zone-humide-c-est-quoi – sd.

246. https://www.cnrs.fr/cw/dossiers/doseau/decouv/preservation/03_gerer.htm.

247. http://www.energie.sia-partners.com/20170112/dessalement-de-leau-de-mer-des-evolutions-necessaires-pour-accompagner-lessor-du-secteur – 12/01/2017.

248. https://www.techno-science.net/definition/6672.html.

249. http://www.energie.sia-partners.com/20170112/dessalement-de-leau-de-mer-des-evolutions-necessaires-pour-accompagner-lessor-du-secteur – 12/01/2017.

250. http://sagascience.cnrs.fr/doseau/decouv/preservation/07_proteger.htm – sd.

251. https://www.cnrs.fr/cw/dossiers/doseau/decouv/preservation/08_eduquer.htm.

252. us@sumofus.org.

253. https://www.publicsenat.fr/article/societe/mexique-un-pays-colonise-par-coca-cola-75712 – 07/07/2017.

254. https://reporterre.net/Au-Mexique-la-population-manque-d – 27/04/2015.

255. http://multinationales.org/Le-Mexique-va-t-il-se-vider-de-son-eau-au-profit-des-multinationales – 30/10/2015.

256. http://kohanntensen.blogspot.com/2015/07/pourquoi-boycotter-coca-cola.html – 11/07/2015.

257. https://blog.eaumineralevelleminfroy.fr/bouteilles-eau-plastique-pet-sante/ – 27/10/2017.

258. http://www.dynamique-mag.com/article/pollution-oceans-fleau-nombreuses-actions.10481 – 20/06/2018.

259. https://www.sain-et-naturel.com/eau-en-bouteilles-qui-possedent-des-polluants.html – sd.

260. https://www.service-public.fr/particuliers/actualites/A12494 – 19/04/2018.

261. SumOfus – 17/10/18 – « Interdiction du plastique ».

262. https://www.coca-cola-france.fr/stories/packaging-durable-the-coca-cola-company-s-engage-pour-un-monde-sans-dechets – 19/01/2018.

263. https://www.lemonde.fr/culture/article/2018/09/11/cash-investigation-denonce-le-double discours-des-industriels-sur-le-recyclage_5353488_3246.html.

264. https://www.20minutes.fr/planete/2288299-20180612-pollution-plastique-projet-ocean-cleanup-peut-vraiment-nettoyer-oceans – 11/06/2018.

265. https://www.especes-menacees.fr/actualites/lutte-contre-pollution-plastique-oceans/ – 05/06/2018.

266. https://www.fne.asso.fr/communiques/gaz-à-effet-de-serre-l'industrie-de-la-mode-pire-que-le-trafic-aérien-et-maritime – 12/11/2018.

267. Cahier spécial COP24, *Aujourd'hui en France*, 01/12/2018.

268. http://maltraitanceanimale.forumactif.com/t204-combien-de-temps-pour-qu-un-dechet-disparaisse – 07/09/2018.

269. https://www.consoglobe.com/plastiques-petrole-oceans-agonisent-dechets-1733-cg – 11/09/2018.

270. https://www.especes-menacees.fr/actualites/lutte-contre-pollution-plastique-oceans/ – 05/06/2018.

271. *Ibid.*

272. http://www.dynamique-mag.com/article/pollution-oceans-fleau-nombreuses-actions.10481 – 20/06/2018.

273. http://www.inovell.io/2017/11/06/plastique-3-4/ – 06/11/2017.

274. http://www.septiemecontinent.com/le-gyre-de-latlantique-nord-aussi-connu-sous-le-nom-de-vortex-des-dechets-de-latlantique-nord/ – 06/04/2015.

275. https://www.especes-menacees.fr/actualites/lutte-contre-pollution-plastique-oceans/ – 05/06/2018.

276. https://france3-regions.francetvinfo.fr/normandie/nord-cotentin/cherbourg-cotentin/parti-depolluer-ocean-kraken-est-coince-cherbourg-1564752.html – 26/10/2018.

277. https://www.eco-volontaire.com/ils-sengagent/julien-wosnitza-prend-la-depollution-des-oceans-a-bras-le-corps/ – 16/09/2018.

278. https://actu.fr/societe/pollution-oceans-scientifiques-creent-par-hasard-une-enzyme-devoreuse-plastique_16414796.html – 18/04/2018.

279. https://www.passeportsante.net/fr/Actions/PlantesSupplements/Fiche.aspx ?doc=agar-agar_nu – sd.

280. https://www.wedemain.fr/Biodegradable-comestible-a-gober-Trois-alternatives-aux-bouteilles-en-plastique-jetables_a3133.html – 10/01/2018.

281. https://forums.infoclimat.fr/f/topic/9666-simulation-du-climat-au-miocène-moyen/ – 15/04/2012.

282. https://www.futura-sciences.com/sante/actualites/biologie-acidification-oceans-vie-marine-risque-etre-gravement-touchee-21692/ – 01/08/2018.

283. https://reseauactionclimat.org/acidification-rechauffement-ocean-dangers-demultiplies/ – 12/05/2018.

284. *Ibid.*

285. https://www.geo.fr/environnement/meme-un-rechauffement-de-2-c-aura-une-incidence-importante-187016 – 02/04/2018.

286. https://www.notre-planete.info/terre/climatologie_meteo/changement-climatique-consequences.php – 04/12/2018.

287. https://www.france24.com/fr/20181008-climat-giec-appelle-transformations-rechauffement-climatique-temperature – 08/10/2018.

288. https://www.lesechos.fr/monde/enjeux-internationaux/0302370846171-climat-le-rapport-alarmant-du-giec-en-quatre-chiffres-2211763.php – 09/10/2018.

289. *Nature*, 11/2005, *Planète Science,* mars 2006.

290. https://www.notre-planete.info/terre/climatologie_meteo/changement-climatique-consequences.php – 04/12/2018.

291. https://www.maxisciences.com/arctique/des-scientifiques-imaginent-un-projet-pour-recongeler-l-arctique-et-lutter-contre-la-fonte-des-glaces_art39221.html – 17/02/2017.

292. https://www.rtl.fr/actu/international/les-scientifiques-proposent-un-barrage-pour-empecher-la-fonte-des-glaciers-7794875919 – 21/09/2018.

293. https://www.courrierinternational.com/grand-format/les-routes-de-larctique-un-raccourci-strategique-de-4500-km – 09/07/2018.

294. https://www.letelegramme.fr/monde/etude-l-antarctique-fond-a-un-rythme-accelere-13-06-2018-11993283.php – 13/06/2018.

295. https://sciencepost.fr/2019/01/une-enorme-cavite-se-developpe-sous-lantarctique/ – 31/01/2019.

296. https://www.franceculture.fr/amp/ecologie-et-environnement/en-antarctique-comment-la-fonte-dun-glacier-de-la-taille-de-floride-pourrait-enclencher-un-effet – 18/02/2019.

297. https://www.futura-sciences.com/planete/actualites/continent-antarctique-dix-ans-sauver-antarctique-reste-monde-71621/ – 15/06/2018.

298. https://canope.ac-amiens.fr/edd/docs/fiches_savoir/climat_antarctique_071121.pdf – sd.

299. https://www.futura-sciences.com/planete/actualites/rechauffement-climatique-fonte-permafrost-bombe-climatique-sanitaire-retardement-43336/.

300. https://www.usinenouvelle.com/article/la-fonte-du-permafrost-un-cauchemar-pour-la-planete.N749274 – 01/10/2018.

301. https://group.bnpparibas/actualite/pergelisol-consequences-climat – 16/04/2018.

302. http://www.insu.cnrs.fr/environnement/le-changement-climatique-les-retroactions – sd.

303. https://www.les-crises.fr/le-budget-carbone-entame-par-le-degel-du-permafrost-par-johan-lorck/ Source : Global Climat, Johan Lorck – 23/09/2018.

304. https://www.futura-sciences.com/planete/actualites/climatologie-pergelisol-bombe-climatique-petard-mouille-14120/ – 04/01/2008.

305. http://hommelibre.blog.tdg.ch/archive/2015/11/07/rechauffement-et-pergelisol-le-methane-ne-serait-plus-une-bo-271557.html – 07/11/2015.

306. https://www.consoglobe.com/pleistocene-park-russie-mammouths-cg – 14/01/2018.

307. https://www.indiegogo.com/projects/bison-to-save-the-world–2#/.

308. https://www.goodplanet.info/actufondation/2018/04/24/en-siberie-des-scientifiques-veulent-recreer-les-ecosystemes-de-lere-glaciere/ – 24/04/2018.

309. https://info.arte.tv/fr/siberie-les-aventuriers-de-lage-perdu – 26/04/2018.

310. https://sciencepost.fr/2017/08/lile-groenland-touchee-enorme-incendie-visible-lespace/ – 14/08/2017.

311. http://www.dominique-bied-cap21.com/article-1375324.html – 11/12/2005.

312. https://www.notre-planete.info/actualites/4249-circulation-thermohaline-ralentissement-climat-Europe – 26/04/2018.

313. *Nature Communications*, février 2017.

314. https://actu.lachainemeteo.com/actualite-meteo/2018-05-02/affaiblissement-du-gulf-stream-quelles-consequences-sur-notre-climat-47123 – 02/05/2018.

315. https://amp.france24.com/fr/20190130-etats-unis-vague-froid-brice-lalonde-trump-rechauffement-climatique-australie – 30/01/2019.

316. https://www.france24.com/fr/20171031-amazonie-une-nouvelle-technique-reforestation-prevoit-planter-73-millions-darbres – 31/10/2017.

317. https://www.linfodurable.fr/environnement/japon-cette-methode-de-reforestation-permis-de-planter-40-millions-darbres-dans-le-monde – 10/07/2018.

318. https://www.geo.fr/environnement/reforestation-un-appel-a-projets-pour-planter-un-million-d-arbres-189142 – 31/05/2018.

319. https://positivr.fr/pakistan-un-milliard-arbres/ – 22/12/2018.

320. https://www.consoglobe.com/la-chine-se-lance-dans-la-reforestation-cg – 15/01/2018.

321. https://planete-urgence.org/les-activites-de-reforestation-en-indonesie-et-a-madagascar/2018/07/04/ – 04/07/2018.

322. *Nature*, 10 octobre 2018.

323. https://www.futura-sciences.com/planete/actualites/environnement-europe-forets-ne-pourront-pas-freiner-rechauffement-31024/ – 15/10/2018.

324. http://cremtl.qc.ca/publication/entrevues/2007/les-ilots-chaleur-urbains-rechauffement-climatique-pollution – sd.

325. http://passeurdesciences.blog.lemonde.fr/2012/09/23/entre-2000-et-2030-espace-urbain-mondial-geographie-biodiversite/ – 23/09/2012.

326. https://www.foresteurope.org/docs/lisboa/lisbon_fr_annexe_2_recommandations.pdf – sd.

327. http://www.ecoconso.be/fr/Les-labels-du-bois – 01/07/2018.

328. https://usbeketrica.com/article/energie-renouvelable-record-europe – 01/02/2018.

329. https://www.connaissancedesenergies.org/perspectives-des-energies-renouvelables-dans-lunion-europeenne-180305 – 05/04/2018.

330. https://lenergie-solaire.net/energiea-renouvelables/energie-hydraulique/avantages-desavantages – 31/10/2018.

331. https://www.mtaterre.fr/dossiers/comment-ca-marche-lenergie-hydraulique/les-impacts-de-lhydraulique-sur-lenvironnement – sd.

332. https://veganews.eu/les-barrages-relachent-plus-de-methane-dans-latmosphere-que-ce-que-nous-pensions/ – 13/06/2018.

333. http://multinationales.org/EDF-fait-pression-pour-mettre-rapidement-en-service-un-grand-barrage-en – 13/12/2018.

334. http://partage-le.com/2017/01/les-illusions-vertes-le-cas-des-barrages-non-le-costa-rica-nest-pas-un-paradis-ecologique/ – janvier 2017.

335. https://www.notre-planete.info/ecologie/energie/hydroelectricite.php – 28/08/2017.

336. https://www.kelwatt.fr/energie.php – sd.

337. https://www.uarga.org/downloads/Documentation/Terres-rares_ARA_2014-11.pdf – sd.

338. https://www.renouvelle.be/fr/debats/lenergie-durable-se-developpera-sans-terres-rares – 16/04/2018.

339. https://fr.wikipedia.org/wiki/Ferrite_(céramique_ferromagnétique)#Le_marché_des_aimants_à_base_de_ferrite – sd.

340. https://www.ademe.fr/sites/default/files/assets/documents/impacts-environnementaux-eolien-francais-2015-rapport.pdf – 2015.

341. https://reporterre.net/Quel-est-l-impact-des-eoliennes-sur-l-environnement-Le-vrai-le-faux – 30/11/2017.

342. https://www.techniques-ingenieur.fr/actualite/articles/developpement-eoliennes-metaux-51386/ – 24/01/2018.

343. https://lenergeek.com/2018/07/25/transition-energetique-eolienne/ – 25/07/2018.

344. https://www.voseconomiesdenergie.fr/actualites/energies-renouvelables/une-eolienne-pollue-t-elle__00192 – 11/01/2012.

345. https://lenergeek.com/2013/02/04/avec-quels-materiaux-sont-fabriquees-les-pales-des-eoliennes/ – 04/02/2013.

346. https://www.livingcircular.veolia.com/fr/industrie/comment-recycler-les-pales-des-eoliennes – 07/06/2018.

347. https://reporterre.net/Les-eoliennes-pourquoi-si-hautes-comment-ca-marche-combien-sont-elles – 28/11/2017.

348. https://lenergie-solaire.net/avantages-inconvenients – 05/10/2018.

349. https://www.greenpeace.fr/impact-environnemental-solaire/ – 2018.

350. https://www.18h39.fr/articles/les-panneaux-solaires-sont-ils-vraiment-ecolos.html – 26/07/2018.

351. https://www.quelleenergie.fr/magazine/energie-solaire/panneaux-solaires-quel-impact-sur-lenvironnement/ – 21/02/2018.

352. https://www.18h39.fr/articles/les-panneaux-solaires-sont-ils-vraiment-ecolos.html – 26/07/2018.

353. En Chine, la radioactivité mesurée dans les villages de Mongolie-Intérieure proches de l'exploitation de terres rares de Baotou – 16/04/2018.

354. https://www.ecosunenergy.fr/2016/05/panneau-solaire-monocristallin.html – sd.

355. https://lenergeek.com/2018/12/26/panneaux-solaires-metaux-rares-transition-energetique/ – 26/12/2018.

356. https://www.planete-energies.com/fr/medias/decryptages/la-production-de-l-electricite-et-ses-emissions-de-co2 – (ADEME, chiffres 2015.)

357. https://www.journaldunet.com/management/expert/68442/l-arnaque-de-la-croissance-verte.shtml – 02/02/2018.

358. https://www.ecologique-solidaire.gouv.fr/biomasse-energie – 26/03/2018.

359. *Ibid.*

360. https://www.geo.fr/environnement/biomasse-une-source-d-energie-propre-et-precieuse-171761 – 15/03/2017.

361. https://blogue.genium360.ca/article/formation/energie-biomasse-savoir-caracteriser-et-utiliser-efficacement-un-combustible-vert/ – 30/10/2017.

362. https://www.ecologique-solidaire.gouv.fr/biomasse-energie – 26/03/2018.

363. *Ibid.*

364. https://www.picbleu.fr/page/les-emissions-de-particules-fines-du-chauffage-bois-polluent-l-air – 27/11/2018.

365. https://www.futura-sciences.com/maison/definitions/chauffage-granule-bois-6948/ – sd.

366. https://www.stuv.com/fr-fr/blog/algemeen/anders/nouvelle-etiquette-energetique-sur-les-chauffages-individuels-comment-la-lire – 01/01/2018.

367. https://www.centreantipoisons.be/monoxyde-de-carbone/le-monoxyde-de-carbone-co-en-d-tail/d-o-provient-le-co – sd.

368. https://www.qualit-enr.org/actualites/fin-5-etoiles-flamme-verte – 05/03/2018.

369. https://www.flammeverte.org/decouvrir-flamme-verte/pourquoi-label-qualite.html- sd, post 2015.

370. https://www.lenergietoutcompris.fr/actualites-et-informations/chauffage-bois/chaudiere-a-bois-flamme-verte-pourquoi-choisir-ce-type-de-chauffage-48243 – 20/02/2018.

371. *Ibid.*

372. https://presse.ademe.fr/wp-content/uploads/2018/12/ADEME-BILAN-FONDS-CHALEUR.pdf.

373. https://www.ecologique-solidaire.gouv.fr/biomasse-energie – 26/03/2018.

374. *Ibid.*

375. https://www.direct-energie.com/particuliers/parlons-energie/dossiers-energie/energie-renouvelable/les-avantages-et-les-inconvenients-de-l-energie-biomasse – 19/11/2018.

376. https://geothermie-soultz.fr/guide/avantages-et-inconvenients-de-la-geothermie/ – 23/07/2018.

377. https://www.consoglobe.com/geothermie-avantages-inconvenients-cg/2 – 12/04/2018.

378. https://geothermie-soultz.fr/guide/avantages-et-inconvenients-de-la-geothermie/ – 23/07/2018.

379. http://www.enr.fr/userfiles/files/Kit%20de%20communication/2010104945_SERGothermie20100607LD.pdf – sd.

380. https://www.jechange.fr/energie/electricite/guides/geothermie-4188 – 31/03/2017.

381. https://bfmbusiness.bfmtv.com/entreprise/au-maroc-la-plus-grande-centrale-solaire-d-afrique-prend-de-l-ampleur-1134834.html – 03/04/2017.

382. https://www.enerray.com/fr/blog/photovoltaique-en-cameroun – 04/03/2018.

383. https://www.mediaterre.org/actu,20180307094630,6.html – 07/03/2018.

384. https://www.boursedirect.fr/fr/actualites/categorie/entre prises/edf-le-groupe-edf-s-allie-au-consortium-mene-par-masdar-pour-developper-la-phase-3-du-parc-solaire-mohammed-bin-rash-globenewswire-3f91ef917ba8944f4753e7a804876c527f818e95 – 22/03/2017.

385. http://les-smartgrids.fr/moyen-orient-investit-energies-re nouvelables/ – 18/04/2018.

386. https://www.engie.com/activites/microgrids-energie-decen tralisee/ – sd.

387. https://www.futura-sciences.com/planete/actualites/develop pement-durable-stockage-electricite-tour-monde-innovations-70689/ – 30/03/2018.

388. http://www.societechimiquedefrance.fr/zinc.html – sd.

389. https://www.contrepoints.org/2018/08/11/322136-le-stoc kage-denergie-en-beton-une-utopie-de-plus – 11/08/2018.

390. https://www.futura-sciences.com/planete/actualites/develop pement-durable-stockage-electricite-tour-monde-innovations-70689/ – 30/03/2018.

391. https://www.engie.com/breves/stocker-energies-renouvela bles-power-to-gas-explications/ – 29/07/2014.

392. http://www.grtgaz.com/solutions-avenir/grtgaz-solutions-davenir-pour-la-transition-energetique/technologies-gaz-perform antes.html – post 2016.

393. https://particuliers.engie.fr/economies-energie/conseils/en ergies-renouvelables/tarif-achat-electricite-issue-biogaz.html – 12/09/2018.

394. http://www.greenwatt.fr/gaz-vert-biomethane-ou-biogaz-comment-ca-marche/ – sd.

395. https://www.valeursactuelles.com/sciences/hydrogene-un-miracle-pour-lenergie-et-le-climat-93145 – 09/02/2018.

396. https://www.edf.fr/entreprises/le-mag/le-mag-entreprises/conseils-energie-competitivite/energie-hydrogene-power-to-gas-piles-a-combustible-un-modele-economique-en-debat – 10/10/2016.

397. https://www.edf.fr/entreprises/le-mag/le-mag-entreprises/conseils-energie-competitivite/electrolyse-et-pile-a-combustible-les-promesses-d-un-hydrogene-vert – 10/10/2016.

398. https://blogs.worldbank.org/voices/fr/import-export-d-nergies-renouvelables-entre-l-europe-et-l-afrique-du-nord-un-commerce-qui-profite à tous – 14/01/2016.

399. Pablo Servigne, Raphaël Stevens, *op. cit.*

400. *The Limits To Growth*, Chelsea Green Publishing, 1972.

401. Mise à jour par Graham M. Turner, « *On the cusp of global collapse ? Updated comparison of the Limits to Growth with historical data* », *GAIA-Ecological Perspectives for Sciences and Society*, vol. 21, n° 2, 2012, p. 116-124.

402. http://loic-steffan.fr/WordPress3/leffondrement-global-est-il-imminent/ – 07/06/2016.

403. Pablo Servigne, Raphaël Stevens, *op. cit.*

404. https://alaingrandjean.fr/2017/10/13/ecologie-tragedie-exponentielle/ – 13/10/2017.

405. Voir Pablo Servigne, Gauthier Chapelle, *L'Entraide, l'autre loi de la jungle*, éd. Les liens qui libèrent, 2017.

Cet ouvrage a été mis en pages par

<pixellence>

Imprimé en France par CPI
en avril 2019

Dépôt légal : mai 2019
N° d'édition : L.01ELKN000785.N001
N° d'impression : 151972